JN071801

はじめに

　小説をどのように書き始めたらいいか分からない、設定が整理できない……小説創作に際してそんなお悩みをお持ちではないだろうか。本書は項目（テンプレート）を埋めていくと長編小説を書くための詳しい設計図ができるつくりになっており、悩みを持つ皆さんに役立つ１冊となっている。

　今回紹介するテンプレートは長編作品を制作する際に通しでお使いいただきたいものだが、各章のサンプルはさまざまなパターンを紹介すべく、通しではなくバラバラになっている。そこで、最終章にて１作通しのサンプルを３本掲載した。

　尚、本書は総合科学出版より刊行された『テンプレート式ライトノベルのつくり方』の改訂版となる。ジャンルをライトノベルだけに留めず、エンタメ小説全般の参考になるよう、旧版からサンプルを一新した。サンプルをどのように修正・調整したらより良くなるか考えてみてもいいだろう。

　また、巻末付録に発想のためのキーワード（アイディアワード）を数多く収録させていただいた。何も思いつかない時は、このサンプルキーワードから気になるものをプロットシートに入れてみることから始めてほしい。

本書の使い方

◆本書は実作に役立つテンプレート、それを使用したサンプルを掲載している。サンプルや章の最後にあるミニ講座を参考にしながら皆さんもそのテンプレートを活用していただきたい。テンプレートのダウンロードサービスも必要に応じて利用しよう。
（詳細は 175 ページを参照）

名前			年齢・性別	
国籍・種族		身分		
誕生日		一人称		
家族構成				

外見の特徴		
身長	体重・体型	
髪型		
服装		
その他の特徴（肌色、傷痕など）		

テンプレート(キャラクターシート)

名前	天川織女（あまかわおりめ）		年齢・性別	20歳・女
国籍・種族	日本・人間	身分	専門学生（ペット学科）	
誕生日	7月7日	一人称	あたし	
家族構成	父、母、兄			

外見の特徴		
身長	166cm	体重・体型	51kg・スレンダー
髪型	茶髪のロングヘアにパーマをかけている	
服装	全体的に派手、ヒールのある靴を好む	
その他の特徴（肌色、傷痕など）		
手に動物につけられた傷痕がたくさんあるが普段はファンデーションで隠している		

サンプル

目次

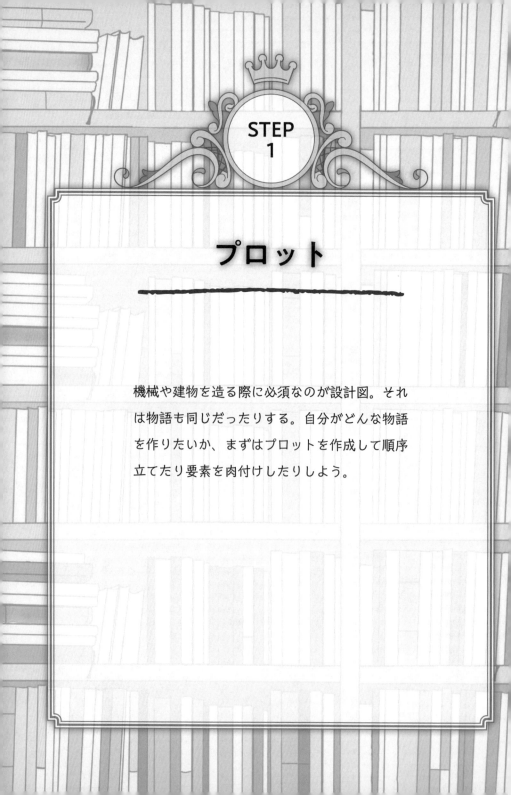

STEP 1

プロット

機械や建物を造る際に必須なのが設計図。それ
は物語も同じだったりする。自分がどんな物語
を作りたいか、まずはプロットを作成して順序
立てたり要素を肉付けしたりしよう。

執筆前にまずはプロット

　プロットとは、物語の流れやキャラクター・世界設定の説明を簡潔にまとめたもの。「あらすじ」と言えばピンとくる方もいるのではないだろうか。小説を書くことにおいて、このプロットの作成はとても重要だ。あらかじめ物語の筋を考えておくことでだらだらした展開を避けることができる。また、行き当たりばったりで書くと詰まってしまうことがあるが、それも回避できるのだ。新人賞に応募する際には 800 字程度のあらすじを添付しなくてはならないので、必ず書かなくてはいけないものでもある。

　それなら早速プロットを作成しよう――としてもゼロからではなかなか思いつかない時もある。なんとなくのアイディアはあっても細かいところまでは考えていないから、いざ文章にしようとしても上手くまとまらない、そんなこともあるかもしれない。

　そこで、段階を経てプロットを作成できるシートを用意した。このシートを用いることで、おおまかな設定やテーマも一緒に決めることができる。

プロットシートの使い方

　プロットシートは 8 段階のステップで構成されている。まずは物語に入れたいと思う要素（単語）をどんどん書き出そう。これは思いつきでも構わない。『寮のある学校』『喧嘩』『素直じゃない子』など、キャラクターや舞台設定に繋がるような単語をざっくばらんに書き出す。その単語を次の段階でストーリー・キャラクター・世界観に分類し、おおまかな設定を作る。

　その後、書きたいシーンやエピソード、セリフを書き出し、テーマを決める。テーマは物語を作る上で重要なものだ。詳しくは後述する。この時作品の魅力的な部分と、読者が共感するポイントも考えておこう。

　次は列挙したエピソードなどを整理し、それを起承転結でまとめる。ここで足りないエピソードをある程度考えよう。起承転結についても後ほど解説するのでそちらをご覧いただきたい。

　ここまでできたら最終段階。これまで挙げてきた事柄を意識しつつストーリーの詳細を書いていこう。そうして完成した文章がプロットになるのだ。

プロットシート・テンプレート

STEP.1 から順番に書き込んでいく。すぐに思いつかないところが足りていないところなので、じっくり考えてみよう。

まずは作品に入れ込みたい要素をいくつも書き出してみる。この時点ではあまり具体的に考えられなくても、なんとなく使ってみたい単語や登場させたいアイテムなどでも構わない。

STEP.1で出したアイディアを、それぞれストーリーとキャラクター、世界観に分類してみる。また付け加えたい要素があれば、それも追加してみる。

ストーリー	
キャラクター	
世界観	

Point! 複数に分類できる要素があった場合は、どちらがより適しているか、面白くなりそうかで選別しよう。

STEP.2 で分類したアイディアをもとに、簡単なストーリー・キャラクター・世界観を作る（箇条書きでも OK）。

ストーリー	
キャラクター	
世界観	

Point! STEP.2 で書き出した要素の中で、不要だと思うものがあれば排除してもよい。

作品に入れ込みたい事件やエピソード、シーンを書き出す。時系列は気にしなくてよい。

 Point! セリフなどでもOK。とにかく入れ込みたいと思ったものをどんどん書き出そう。

STEP.3・4を踏まえ、この作品で最も書きたいと思っていること、読者に作品を通して伝えたいこと（テーマ）を書こう。

この作品で最も書きたいこと（シーンやセリフなど）

読者に作品を通して伝えたいこと（テーマ）

Point! この2点を決めることにより、作品に必要な要素（キャラクターの言動やエピソード）が見えてくる。

読者対象、読者が共感できるポイント、作品の一番魅力的な部分を挙げていく。

読者対象	
読者が共感できる ポイント	
この作品の 一番魅力的な部分	

 対象となる読者の年齢や性別をある程度固めよう。作品の一番魅力的な部分は作品のウリと言ってもいい。「本の帯にキャッチコピーを書くならどんなことだろう？」と考えると分かりやすい。

STEP.3 で組み上げたストーリーとキャラクター、世界観、STEP.4 で挙げたエピソードやシーンをもとに、簡単な起承転結を作ってみる。

起	
承	
転	
結	

STEP.7 で作った起承転結をもとに、さらに細かいストーリーを考えて、プロットを完成させる。タイトルもつけよう。

タイトル	
ストーリー	

01 サンプル プロットシート

STEP 1

まずは作品に入れ込みたい要素をいくつも書き出してみる。この時点ではあまり具体的に考えられなくても、なんとなく使ってみたい単語や登場させたいアイテムなどでも構わない。

オリンピック	双子	嫉妬
スポーツ	コンプレックス	天才肌
人魚	学校	青春
鳥	部活	競争

STEP 2

STEP.1で出したアイディアを、それぞれストーリーとキャラクター、世界観に分類してみる。また付け加えたい要素があれば、それも追加してみる。

ストーリー	オリンピック 青春	スポーツ 競争	部活
キャラクター	人魚 コンプレックス	鳥 嫉妬	双子 天才肌
世界観	学校		

STEP

3

STEP.2 で分類したアイディアをもとに、簡単なストーリー・キャラクター・世界観を作る（箇条書きでも OK）。

ストーリー	それぞれ双子の妹、兄に強いコンプレックスを持つスポーツ選手が、互いを励まし合いながらオリンピック出場を目指して奮闘する。
キャラクター	主人公：双子の妹にコンプレックスを持つ女子高校生水泳選手。水泳しか取り柄がないため、水泳の世界でトップに立つことに使命感とプライドがある。 ヒロイン*：双子の兄にコンプレックスを持つ男子高校生陸上選手。器用貧乏ゆえにどの分野でも一番にはなれず、何かを極めたいという願望が強い。
世界観	オリンピック選手を多数輩出しているスポーツの名門校。学生の大半はスポーツ推薦で入学しており、学業よりスポーツで結果を出すことを推奨されている。

* 男女問わず、主人公の対になる存在をヒロインとしている。

作品に入れ込みたい事件やエピソード、シーンを書き出す。
時系列は気にしなくてよい。

・家の中で、可愛がられる妹を羨ましそうに眺めている主人公。

・早朝の走り込みをしていると、同じようにランニングをする少年と出会う。

・ランニングをする少年と話をするのが楽しみになる主人公。

・主人公の水泳の才能を知り喜ぶ両親と、その様子をじっと見つめる妹。

・陰口を言っているところをヒロイン本人に聞かれ、逃げ出す主人公。

・主人公の練習風景を興味深そうに眺めているヒロイン。

・溺れている主人公を助けるヒロインの兄がヒロインに間違われて憤る。

・主人公と仲の良いヒロインに目を付け、奪おうと画策する妹。

STEP.3・4を踏まえ、この作品で最も書きたいと思っていること、読者に作品を通して伝えたいこと（テーマ）を書こう。

この作品で最も書きたいこと（シーンやセリフなど）

ずっと妹へのコンプレックスに囚われていた主人公が、初めて誰かのために頑張ろうとするシーン

読者に作品を通して伝えたいこと（テーマ）

1人では何か欠けている者同士が、支え合って目標に向かっていく姿

STEP 6　読者対象、読者が共感できるポイント、作品の一番魅力的な部分を挙げていく。

読者対象	中高生
読者が共感できるポイント	周囲から天才と褒めそやされる人が、陰で必死に努力し、さまざまな悩みを抱えているところ
この作品の一番魅力的な部分	ずっときょうだいの存在に囚われていた主人公とヒロインが呪縛から抜け出していくところ

STEP 7　STEP.3 で組み上げたストーリーとキャラクター、世界観、STEP.4 で挙げたエピソードやシーンをもとに、簡単な起承転結を作ってみる。

起	主人公が練習風景を見に来たヒロインと出会い、それぞれ妹、兄にコンプレックスを持っていることを知る。
承	主人公とヒロインは仲を深めるが、それが面白くない妹が優秀な成績を出し、主人公は焦る。
転	焦りから調子を崩す主人公だが、ヒロインの支えによって持ち直す。しかしヒロインが怪我をしてスポーツを続けることができなくなる。
結	ヒロインの期待を背負い、主人公は日本有数の選手として成長を遂げる。

STEP

8

STEP.7 で作った起承転結をもとに、さらに細かいストーリーを考えて、プロットを完成させる。タイトルもつけよう。

サンプル

タイトル	溺れる人魚と飛べない鳥
ストーリー	平凡な女子高校生・永遠は双子の妹・利那より劣っていることがコンプレックスだったが、唯一妹に勝てる水泳で密かにインターハイを目指していた。ある日、永遠は利那を彷彿とさせる天才肌のクラスメイト・隼人への陰口を本人に聞かれてしまい、気まずさから逃げ出す。翌日から、なぜか隼人は永遠の練習風景を見るためプールに通うようになる。 　嫌がらせだと感じた永遠は陰口のことを謝るが、隼人は単純に優れた選手である永遠を観察していただけだった。隼人の双子の兄・大翔も陸上部のエースで、器用貧乏で一番になれない隼人はコンプレックスを持っていたのだ。隼人に不思議な親近感を持った永遠は、つい「一緒にインハイを目指そう」と言ってしまい、真に受けた隼人は陸上部に入部。正々堂々戦おうとする姿に、永遠は憧れに似た感情を抱く。 　互いに励まし合いながら部活に勤しむ永遠と隼人は、どんどん実力を伸ばしていったが、そんな時、利那が水泳部に入部してくる。常に姉より優位でいたい利那にとって、姉が水泳部でもてはやされている上、人気者の隼人と仲良くしていることが気に食わないからだ。元々のセンスに加え、練習も重ねてどんどん上達する利那に焦った永遠は普段の実力が出せなくなり、顧問から休養を命じられる。しかし、休むことで余計に立場が奪われると懸念した永遠は夜に学校に忍び込み猛練習を続け、体を壊し溺れてしまう。とっさに助けたのは同じように遅くまで練習をしていた隼人だった。無理を叱りつつも労ってくれる隼人に、永遠は利那に勝つためだけに無茶を続けていたことが馬鹿馬鹿しくなる。その後、永遠は顧問に従って療養し、復帰後は今まで以上のパフォーマンスを発揮。数日練習しただけの利那では届かぬ高みに達していた。 　努力の甲斐あって永遠と隼人はインターハイの選手に選ばれるも、当日、隼人が大怪我をし、この先スポーツをすることさえできなくなってしまう。絶望する永遠だが、隼人は永遠を励まし、力強く送り出す。隼人の分まで頑張ろうと決めた永遠はその日最速タイムを叩き出し、来期の五輪選手になるのではとの声も挙がる注目選手となった。

02 サンプル プロットシート

まずは作品に入れ込みたい要素をいくつも書き出してみる。この時点ではあまり具体的に考えられなくても、なんとなく使ってみたい単語や登場させたいアイテムなどでも構わない。

お菓子	犠牲	切ない
転校生	雪国	先生
廃校	かまくら	不思議系
恋愛	陰謀	夢

STEP.1で出したアイディアを、それぞれストーリーとキャラクター、世界観に分類してみる。また付け加えたい要素があれば、それも追加してみる。

ストーリー	恋愛 切ない	犠牲 夢	かまくら	陰謀
キャラクター	お菓子	転校生	先生	不思議系
世界観	廃校	雪国		

STEP.2で分類したアイディアをもとに、簡単なストーリー・キャラクター・世界観を作る（箇条書きでも OK）。

サンプル

ストーリー	両親の転勤で雪国にある廃校寸前の学校に転校した主人公が、不思議な少女と共に日常を送る中で彼女の秘密に触れていく。
キャラクター	主人公:平凡な男子高校生。流されるままに生きていたが、ヒロインと日常を送る中で将来自分が何者になりたいのか模索する。 ヒロイン：主人公が通う学校の別棟にのみ現れる不思議な少女。天真爛漫だがふとした瞬間に消えそうな儚さがある。
世界観	現代日本の雪国。季節は晩秋～春（冬がメイン）。舞台となる学校は廃校寸前で、全校生徒が３０人程度しかいない。メインの校舎とは別にかつて使われていた別棟があるが、近々取り壊される予定で現在は立ち入り禁止になっている。

STEP 4
作品に入れ込みたい事件やエピソード、シーンを書き出す。時系列は気にしなくてよい。

・職員室を探す途中で道に迷う主人公、別棟でヒロインと出会う。

・かまくらで遊ぶ主人公たち。

・ヒロインが真冬なのにかき氷を食べる。

・ヒロインがストーブを嫌がる。

・かまくらの中で「いつかここでお店をやりたいね」と話すヒロインを見て、主人公は今まで漠然としか考えなかった将来について明確なビジョンを持つ。

・手を繋ぐ主人公とヒロイン。しかし主人公はヒロインのあまりの冷たさに、ヒロインは主人公のあまりの熱さに、驚いてすぐに手を離してしまう。

・ヒロインを連れ出そうとする主人公だが、拒絶される。

・別棟に忍び込もうとして叱られる主人公。

STEP 5
STEP.3・4を踏まえ、この作品で最も書きたいと思っていること、読者に作品を通して伝えたいこと（テーマ）を書こう。

この作品で最も書きたいこと（シーンやセリフなど）
ヒロインの秘密と、それを知り変わっていく主人公
読者に作品を通して伝えたいこと（テーマ）
変化を恐れる人に一歩踏み出す勇気を持ってもらう

STEP 6　読者対象、読者が共感できるポイント、作品の一番魅力的な部分を挙げていく。

読者対象	中高生　男性
読者が共感できるポイント	秘密を抱えるヒロインが、毎日を楽しく生きる姿
この作品の一番魅力的な部分	何者でもなかった主人公が、ヒロインによって変わっていく姿

STEP 7　STEP.3 で組み上げたストーリーとキャラクター、世界観、STEP.4 で挙げたエピソードやシーンをもとに、簡単な起承転結を作ってみる。

起	主人公、転校先の学校の別棟でヒロインと出会う。
承	主人公、クラスメイトたちと楽しい日常を送る。しかし、ヒロインは一向に本校舎の教室に顔を出さない。
転	季節が春に近付くにつれヒロインに異変が起き、主人公は彼女の秘密を知る。
結	残された時間で主人公はヒロインと思い出を作る。ヒロインは満足して主人公の前から消えていく。

サンプル

STEP.7 で作った起承転結をもとに、さらに細かいストーリーを考えて、プロットを完成させる。タイトルもつけよう。

タイトル	－ 18℃の恋
ストーリー	将来の夢もなく、流されるまま漫然と日々を生きている楽人は、両親の転勤によって廃校寸前の高校に転校することになる。職員室を探している最中、立ち入り禁止の別棟に迷い込み、そこで愛珠と名乗る少女に出会う。見知らぬ地で心細さを感じていた楽人は、愛珠の優しさに触れ彼女のことが気になり始める。 　クラスに馴染んできた楽人は周囲に愛珠のことを尋ねるが、誰も彼女の存在を知らなかった。愛珠曰く、陽の高い時間帯と人の多い場所は活動が制限されるため、教室に入ったことがないという。その理由は教えてくれなかったが、愛珠の体温が異常に冷たいことから、楽人は彼女が普通の人間ではないと勘付く。 　愛珠と過ごす日常を幸福に感じる楽人だったが、彼女は自分に構うことで楽人がクラスで孤立してしまうのではと危惧しており、つい突き放すようなことを言ってしまう。ショックを受けた楽人は別棟から距離を置くが、寂しさに耐え切れなくなった愛珠が昼間にもかかわらず楽人に会うため教室にやってくる。しかし日光を浴びた愛珠の肌は溶けていた。彼女の正体はアイスクリームだったのだ。 　春になれば、愛珠は溶けて消えてしまう。楽人はその事実を受け入れられずにいたが、彼女が笑顔で最期を迎えられるよう、クラスメイトたちにも協力してもらって思い出づくりをすることに。それまで流されるままに生きてきた楽人だったが、愛珠を楽しませるため気付けば積極的に行動しており、最初は愛珠の存在に戸惑っていたクラスメイトたちも熱意に影響されて楽人に力を貸してくれるようになる。出会ったばかりの頃とは随分と変わった楽人を見た愛珠は満足し、最後に楽人を抱きしめ、その熱で溶けていった。後日、別棟は取り壊され、楽人は愛珠との思い出を胸にクラスメイトたちと共に春を迎えたのだった。

03 サンプル プロットシート

STEP 1

まずは作品に入れ込みたい要素をいくつも書き出してみる。この時点ではあまり具体的に考えられなくても、なんとなく使ってみたい単語や登場させたいアイテムなどでも構わない。

ファッション	コンビニ	都会
メイク	犬	スクランブル
おしゃれ	散歩	交差点
妖精	楽園	
変身願望	僻地	

STEP 2

STEP.1で出したアイディアを、それぞれストーリーとキャラクター、世界観に分類してみる。また付け加えたい要素があれば、それも追加してみる。

ストーリー	ファッション	メイク	おしゃれ	散歩
キャラクター	妖精	変身願望	犬	
世界観	コンビニ　　楽園　　僻地　　都会　スクランブル交差点			

STEP.2 で分類したアイディアをもとに、簡単なストーリー・キャラクター・世界観を作る（箇条書きでも OK）。

ストーリー	ファッションセンスがない主人公が、自分に自信を持つため、妖精の力を借りながらおしゃれになっていく。
キャラクター	主人公：容姿に関して無頓着だったが、人生で初めて好きな人ができた際に自分の垢抜けない容姿が気になってしまい、おしゃれになるために勉強をする女性。だが、いくら勉強してもそもそもセンスがないのでどこかズレてしまう。 妖精：主人公がたまたま買ったスウェットシャツに宿っていた妖精。おしゃれに関して豊富な知識を持つ。500ｍｌペットボトルくらいのサイズ感。自称女性だが見た目は完全にオジサン。キレると口が悪くなる。
世界観	現代日本。妖精が存在するが、誰にでも見えるわけではなく、妖精が望んだタイミング、望んだ相手しか認知することができない。

STEP **4**　作品に入れ込みたい事件やエピソード、シーンを書き出す。時系列は気にしなくてよい。

・泥酔して場末のブティックに入った主人公、10万円のスウェットシャツを買う。

・妖精と出会い、悲鳴を上げる主人公。

・主人公のタンスから出てきた服のダサさに頭を抱える妖精。

・ジャージでコンビニに行った主人公、偶然好きな人に遭遇する。

・妖精に扱き下ろされて腹を立てた主人公、アパレルショップでマネキンを指し「これ全部ください」と言う。しかしレジで合計金額を見て買うのをやめ、店員に笑われる。

・妖精の助言を無視し、深夜にラーメンやスナック菓子を食べる主人公。

・消えた妖精を探し、家中を探し回る主人公。

・主人公、最新の雑誌を眺めるがファッションの善し悪しが理解できない。

STEP **5**　STEP.3・4を踏まえ、この作品で最も書きたいと思っていること、読者に作品を通して伝えたいこと（テーマ）を書こう。

この作品で最も書きたいこと（シーンやセリフなど）
一風変わったおしゃれアドバイザー
読者に作品を通して伝えたいこと（テーマ）
変わるには自分自身の努力が必要

STEP 6　読者対象、読者が共感できるポイント、作品の一番魅力的な部分を挙げていく。

読者対象	18 ～ 25 歳　女性
読者が共感できる ポイント	漠然とした変身願望はあるが、しみついた習慣がなかなか抜けず苦労する主人公
この作品の 一番魅力的な部分	主人公と妖精のコミカルな掛け合い

STEP 7　STEP.3 で組み上げたストーリーとキャラクター、世界観、STEP.4 で挙げたエピソードやシーンをもとに、簡単な起承転結を作ってみる。

起	ファッションセンスに自信のない主人公、おしゃれの妖精と出会う。
承	妖精の助言によって、主人公はおしゃれになるが、妖精に頼り切りで自分磨きをサボるようになる。
転	怒った妖精は消えてしまい、主人公は自力で努力するようになる。
結	自分の力でおしゃれになった主人公は好きな人に告白する。それを見た妖精は満足して去っていく。

サンプル

STEP **8**

STEP.7で作った起承転結をもとに、さらに細かいストーリーを考えて、プロットを完成させる。タイトルもつけよう。

サンプル

タイトル	おしゃれの妖精
ストーリー	主人公の美奈子は、20年間、おしゃれとは無縁で怠惰な生活を送ってきた。しかし好きな人ができたことで、どうにかおしゃれになって告白したいという気持ちが芽生える。だが彼の周囲にはおしゃれな女性が多く、自分など相手にされないとヤケ酒をした帰り、泥酔した美奈子は迷い込んだ場末のブティックで10万円もするスウェットシャツを購入してしまう。 　翌日、美奈子の前に妖精が現れる。酔って買ったスウェットシャツにはおしゃれの妖精が宿っていたのだ。自暴自棄になっていた美奈子は、好きな人にアプローチできない状況を愚痴半分に話す。しかし妖精曰く、自分磨きをすれば自然と自信がついて好きな人を振り向かせることができるようになるという。美奈子は半信半疑だったが、妖精の助言に従って自分磨きを始める。 　ファッションやメイクの勉強、食事と睡眠の管理、適度な運動など、妖精の助言は的確で美奈子は見違えて美しくなっていく。しかし、それに慢心した美奈子は妖精に頼り切りになり、言われたこと以外は何もしなくなる。美奈子の怠惰な本質は何も変わっていないと感じた妖精は叱責するも、真面目に応じない美奈子に腹を立てて姿を消してしまう。それまで妖精の助言にさえ従っていればすべて上手くいっていた美奈子は焦るがどうにもならず、初めて自分だけで洋服をコーディネートし、メイクをして出かけた。しかし、周囲の評判はイマイチで、初めて美奈子は妖精に依存していた事実に気付く。 　改心した美奈子は動画や雑誌でおしゃれについて勉強し、ダイエットに励み、毎日自炊するようになった。最初のうちは失敗ばかりだったが、徐々に様になっていき、半年経つ頃には、彼も美奈子を気に留めるようになっていた。自分に自信のついた美奈子は、彼に告白するためとびきりのおしゃれをして行く。その姿をずっと陰から見守っていた妖精は、もう自分がいなくても大丈夫だと満足して去っていった。

ストーリー編

起承転結とは？

　小説を書いていなくても一度は耳にしたことがあるであろう、起承転結。ストーリーを作る際、これを意識するとバランスよく山谷ができた物語になる。

　そもそも、起承転結とはどういったものだろうか。答えは物語をおおまかに4つのブロックに分けたもののことだ。

> **起：物語の起こり**
> **承：さらなる展開**
> **転：収束に向けての大きな動き**
> **結：クライマックス**

といった具合になる。

それぞれの特徴

　「起」でキャラクターや世界設定、どのような物語なのかを見せていく。この際、どうしても説明で済ませてしまいたくなるものだが(特に世界設定)、キャラクターが起こす事件やエピソード、会話で読者に提示したい。小説で取扱説明書は読みたくない、と言えば分かっていただけるだろうか。

　「承」では「起」で語り切れなかった物語の深い部分について言及する。例えば「起」で【世界は魔王に支配されており、主人公の勇者が魔王を倒す旅に出る】といった提示をしたのなら、「承」では旅の様子を描きつつ仲間を加えたり、具体的にどうすれば魔王を倒せるのかをキャラクターが考えたりする。また、キャラクターの内面——過去や悩みについてもここで出すといい。

　物語が大きく動く「転」。いくつかの事件や問題を乗り越え、魔王との決戦を迎える。それと同時にキャラクター自身の問題についても大きな山場を迎えることになる。一番盛り上げたいのはここ。どんでん返しやダイナミックな演出を考えたい。

　「結」では見事魔王を倒し、世界には平和が戻る。キャラクターの問題は

解決、または解決への兆しを見せる。ここでさらなるどんでん返しを狙って
もいい。

　起承転結は均等に4分割されるのではなく、「承」と「転」に紙幅を割く
ことが多い。「起」や「結」が長くなってしまうとだらだらとした印象を与
えてしまうからだ。もちろんこの限りではなく、壮大な世界観を舞台にした
物語であれば、「起」でじっくりと世界を見せるようなエピソードを出して
もいい。逆にスピーディーな展開にして勢いをつけるために、「起」を極力
短くして「承」に進ませることもある。物語によって随時調整しよう。

　物語のブロック分けには起承転結の他にも序破急というものもある。こち
らは「序」が起承転結の「起」にあたり、「破」が「承」と「転」、「急」が「結」
になる。どちらを用いるかは書き手次第だ。

ブロックの中にもブロックを

　起承転結で物語全体にメリハリをつけたのはいいが、「起」や「承」だけ
を見ると盛り上がりに欠ける……。そうなってしまった時は、このブロック
の中でも起承転結を意識してみるといい。

　物語は小さな事件（アクシデント）、エピソードの積み重ねでできている。
そのひとつひとつに起承転結をつけるのだ。そうすれば山場がいくつもでき
ることになり、読者も飽きることなく読んでくれるだろう。

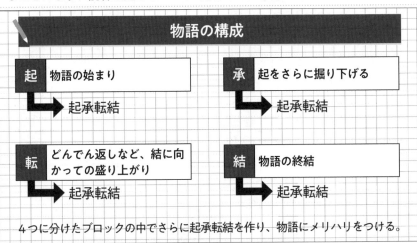

物語の構成

起	物語の始まり
→	起承転結

承	起をさらに掘り下げる
→	起承転結

転	どんでん返しなど、結に向かっての盛り上がり
→	起承転結

結	物語の終結
→	起承転結

4つに分けたブロックの中でさらに起承転結を作り、物語にメリハリをつける。

テーマの重要性

　物語を作る時、ただ「こういう話を書きたい」と漫然とした思いだけで取りかかってはいけない。それだけでは物語の輪郭がぼやけ、印象が薄くなってしまうからだ。あなたはその物語で何を伝えたいか、何を表現したいかをきちんと考えよう。それがテーマだ。

　テーマはなんでもいい。高尚なものから、なんてことのないものまで。「環境破壊をやめよう」「復讐をしても得られるものは何もない」「友達は大事にすべきだ」「目玉焼きにはしょうゆ」など。最後のは本当にいいの？ と思うかもしれないが、物語の軸になればいい。

テーマを伝えるには

　テーマを決めたなら、次に考えるのはそのテーマを物語の中でどのように表すかだ。単純にキャラクターが「友達は大事にすべきだ」と言えばいいものではない。それでは読者は理解も納得もできないからだ。まずは問題提起のための土台を作り、結論に至るまでの材料を積み上げていこう。

　サンプル③『おしゃれの妖精』を今一度見てほしい。テーマは「変わるには自分自身の努力が必要」。

---

①主人公は 20 年間おしゃれとは無縁の怠惰な生活を送っている
　→まずこれが土台となっている
②好きな人ができた**→おしゃれをしたい＝変わりたいと思うきっかけ**
③主人公の前に妖精が現れ、彼の指導のもと自分磨きを始める
　→変わっていく
④妖精に頼りきりになり自分で考えなくなる。妖精は姿を消してしまい、自分だけで身なりを整えても周囲の評判はイマイチ
　→変わったかと思われたが、自分の努力ではなかった
⑤改心し、自分なりに努力しながらダイエットやおしゃれの勉強をする。好きな相手も主人公を気に留めるようになる
　→本当の意味で変わった

　努力をするにはまずきっかけが必要だ。本作は好きな人に振り向いてもら

うためにおしゃれをしたいところから始まる。女性なら分かるかと思うが、おしゃれは努力をしなければなかなか理想には至らない。そういった意味では今回のテーマとの親和性も高い。

　主人公は妖精に助言をもらいながら努力をしていくが、「どう努力するのか」は妖精頼りになってしまっていた。確かに変化は現れていたが、これは妖精がいたからこそ。そこを勘違いしてしまったせいで妖精がいなくなった途端に失敗してしまう。そこで自身の過ちに気付くのだ。

　誰かに頼らず自分だけで努力をすることで、本当の変化は訪れる。ここまで描くことでテーマの「変わるには自分自身の努力が必要」が体現される。

キーワードの設定

　物事を把握する上で、ひとつ特徴になるような単語があると理解しやすくなるものではないだろうか。物語も同じで、キーワードを設定することでストーリーをすっきり見せることができる。また、キーワードになる単語が思い当たらない場合、要素がバラバラになっているかもしれない。見直してみよう。

　キーワードは本の帯に使われることも少なくない。既存の作品をチェックし、どんなキーワードが設定されているか考えてみてもいいだろう。

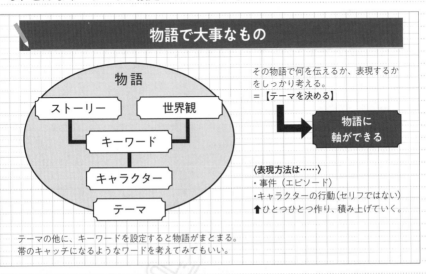

物語で大事なもの

物語
- ストーリー
- 世界観
- キーワード
- キャラクター
- テーマ

その物語で何を伝えるか、表現するかをしっかり考える。
＝【テーマを決める】

➡ 物語に軸ができる

〈表現方法は……〉
・事件（エピソード）
・キャラクターの行動（セリフではない）
↑ひとつひとつ作り、積み上げていく。

テーマの他に、キーワードを設定すると物語がまとまる。
帯のキャッチになるようなワードを考えてみてもいい。

STEP 2

キャラクター

物語を動かすのはキャラクターだ。時に「キャラクターが勝手に動いた」「キャラクターが暴走した」と言われるくらいに彼らは物語の中で生きている。魅力的でいて、物語をしっかり引っ張るキャラクターを作り出そう。

キャラクターのリアリティ

　プロットが完成したら、次はキャラクターを詰めよう。この時点である程度の設定や性格は決まっているだろうが、それだけでは足りない。一言で説明が済んでしまうようなキャラクターではストーリーに引っ張られてしまうからだ。物語の展開に沿ってキャラクターが動いてしまうことを「ご都合主義」と筆者は呼んでいる。これから彼らには物語の中でめいっぱい活躍をしてもらわなければならない。そのためにも次ページからのキャラクターシートを使ってさらなる命を吹き込もう。

1分間紹介ができるように

　では、具体的に何を考えればいいのか。まずは基本的なところからである。名前・年齢・性別・身分は既に決まっているだろうから、誕生日や一人称、家族構成を考えよう。一人称はともかく、誕生日や家族構成は物語に直接関係ないかもしれない。しかし、決めておいて損することはない。家族が分からない・いない設定でも、それもまた個性なので問題ない。

　次は外的特徴に移ろう。身長・体重、髪型、服装といったものだ。体型も考えておくと、例えばふくよかな体つきとすると「足が遅そう」といった設定の広がりができる。逆にギャップを狙ってそんな体型なのに素早い、とするのもアリだ。他、何か特徴があれば書き込んでおく。これらはイラストが入るライトノベルでは重要なもの。キャラクターの個性になるような特徴を考えていいかもしれない。

　そして内面に入っていく。まずはおおまかな性格を2、3挙げる。これはメインキャラクター同士で被らないほうがいい。バラエティに富んだキャラクターを登場させたいからだ。その後さらに詳しい性格を書き込もう。長所・短所、好き嫌いはキャラクターの仕草を描くのに役立つ。人参嫌いのキャラクターが食事で人参と対峙した際、どういった反応を示すか――それだけでキャラクターが生きてくるものだ。憧れや座右の銘はキャラクターの行動の動機に繋げられる。

　これらをすべて決めると、そのキャラクターの紹介が1分間はできるはずだ。1分は意外と長いもの。一度試してみるといいだろう。

キャラクターシート・テンプレート

大きく外見と内面の特徴に分かれている。特に内面の特徴をしっかりと決めていこう。これらがキャラクターの行動理由に繋がる。

名前		年齢・性別	
国籍・種族		身分	
誕生日		一人称	
家族構成			

外見の特徴			
身長		体重・体型	
髪型			
服装			
その他の特徴（肌色、傷痕など）			

内面の特徴	
おおまかな性格 （当てはまるものを囲む）	明るい　内気　積極的　消極的　慎重　粗野　冷血　優しい　素直　天邪鬼　冷静　人見知り　熱血　見栄っ張り　わがまま　世話好き　惚れっぽい　頑固　快楽的　犠牲的　傲慢　勤勉　寂しがり　穏やか　臆病　一途　盲目的
詳しい性格	

Point! 性格は2、3つ選ぼう。当てはまるものがなければ新しく追加してもよい。また、メインキャラクター同士は被らないようにしたい。

テンプレート

長所	
短所	
好きなもの	
嫌いなもの	
苦手なもの	
憧れ	
座右の銘	

特別な過去	
現在の悩み・葛藤	
その他特記事項	

Point! 細かい設定はストーリーに直接影響を及ぼさないかもしれないが、仕草の描写の幅を広げられる。キャラクターをとらえるのにも役立つ。

メインキャラクターたちの呼び方		
キャラクター名		呼び方
	→	
	→	
	→	
	→	

Point! 意外と忘れやすく、作中でブレてしまうことも多いのでメモしておくと便利。

01 サンプル【主人公】 キャラクターシート

名前	天川織女（あまかわおりめ）	年齢・性別	20歳・女
国籍・種族	日本・人間	身分	専門学生（ペット学科）
誕生日	7月7日	一人称	あたし
家族構成	父、母、兄		

外見の特徴

身長	166cm	体重・体型	51kg・スレンダー
髪型	茶髪のロングヘアにパーマをかけている		
服装	全体的に派手、ヒールのある靴を好む		

その他の特徴（肌色、傷痕など）

手に動物につけられた傷痕がたくさんあるが
普段はファンデーションで隠している

内面の特徴

おおまかな性格 （当てはまるものを囲む）	⟨明るい⟩ 内気 ⟨積極的⟩ 消極的 慎重 粗野 冷血 優しい 素直 天邪鬼 冷静 人見知り 熱血 ⟨見栄っ張り⟩ わがまま 世話好き 惚れっぽい 頑固 快楽的 犠牲的 傲慢 勤勉 寂しがり 穏やか 臆病 一途 盲目的
詳しい性格	表裏がなく、思ったことはすぐ口に出す。 虚栄心が強く、何かにつけ人と比べてしまう。

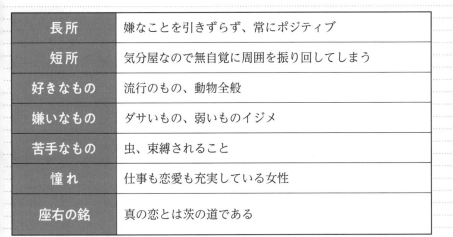

長所	嫌なことを引きずらず、常にポジティブ
短所	気分屋なので無自覚に周囲を振り回してしまう
好きなもの	流行のもの、動物全般
嫌いなもの	ダサいもの、弱いものイジメ
苦手なもの	虫、束縛されること
憧れ	仕事も恋愛も充実している女性
座右の銘	真の恋とは茨の道である

特別な過去	幼馴染だった星彦をイジメから守っていた
現在の悩み・葛藤	ダメンズにばかり引っかかってしまう
その他特記事項	毎週欠かさず星彦に SNS 経由で近況報告をしている

メインキャラクターたちの呼び方		
キャラクター名		呼び方
七海星彦	→	星彦
行縄景人	→	ゆきくん
	→	
	→	
	→	

02 サンプル【ヒロイン（男）】キャラクターシート

名前	七海星彦（ななみほしひこ）	年齢・性別	22歳・男
国籍・種族	日本・人間	身分	大学生（留学中）
誕生日	7月7日	一人称	俺
家族構成	父、母、弟		

外見の特徴

身長	175cm	体重・体型	61kg・中肉中背
髪型	黒髪、耳にかからない短髪		
服装	シンプルで落ち着いた色のアイテムが多い		

その他の特徴（肌色、傷痕など）

生粋のインドア派のため、男性にしてはかなりの色白

内面の特徴

おおまかな性格 （当てはまるものを囲む）	明るい 内気 積極的 消極的 (慎重) 粗野 冷血 優しい 素直 (天邪鬼) 冷静 人見知り 熱血 見栄っ張り わがまま (世話好き) 惚れっぽい 頑固 快楽的 犠牲的 傲慢 勤勉 寂しがり 穏やか 臆病 一途 盲目的
詳しい性格	友人はいるが1人の時間を大事にしたいタイプ。 親しい相手には世話焼きな一面もある。

長所	空気を読むのが上手く、他人を不快にさせない
短所	行動前に考える癖があるせいでワンテンポ遅れがち
好きなもの	星を見ること、天文学、宇宙科学
嫌いなもの	人混み
苦手なもの	高い場所（高所恐怖症）
憧れ	宇宙
座右の銘	恒産恒心

特別な過去	幼少期にイジメを受けていたが織女に助けてもらった
現在の悩み・葛藤	いつか宇宙に行きたいが、高所恐怖症が克服できない
その他特記事項	一年のうち七夕の日だけ織女に会うためアメリカから帰国する

メインキャラクターたちの呼び方		
キャラクター名		呼び方
天川織女	→	織女、バカ
行縄景人	→	行縄
	→	
	→	
	→	

サンプル

37

03 サンプル 【チームメイト】 キャラクターシート

名前	行縄景人（ゆきなわかげと）		年齢・性別	19歳・男
国籍・種族	日本・人間	身分		大学生
誕生日	6月4日	一人称		僕
家族構成	父、母、兄			

外見の特徴

身長	169cm	体重・体型	55kg・痩せ型
髪型	前髪が長い		
服装	黒やグレーなど地味な服装		

その他の特徴（肌色、傷痕など）

常にヘッドフォンをしているが、音楽好きというわけではなく
雑音をシャットアウトする用途で使用している

内面の特徴

おおまかな性格 （当てはまるものを囲む）	明るい （内気） 積極的 消極的 慎重 粗野 冷血 優しい 素直 天邪鬼 冷静 人見知り 熱血 見栄っ張り わがまま 世話好き （惚れっぽい） 頑固 快楽的 犠牲的 傲慢 勤勉 寂しがり 穏やか 臆病 一途 （盲目的）
詳しい性格	基本的には無頓着だが一度執着すると 手段を選ばず手に入れようとしてしまう。

38

長所	機械に関する知識が豊富で、修理なども得意
短所	盲目的で、夢中になるとそれしか目に入らなくなる
好きなもの	機械、自分を兄と比較しない人
嫌いなもの	陽キャ、両親、自分を兄と比較する人
苦手なもの	兄
憧れ	織女（分け隔てなく他人に接することができる人）
座右の銘	All' s fair in love and war. （恋愛と戦争では手段を選ぶな）

特別な過去	優秀な兄と比べられ、両親に冷遇されて育った
現在の悩み・葛藤	優秀な兄に何かひとつでも勝ちたい
その他特記事項	星彦の SNS アカウントを乗っ取り、織女と連絡を取っている

サンプル

メインキャラクターたちの呼び方		
キャラクター名		呼び方
天川織女	→	織女さん
七海星彦	→	七海さん
	→	
	→	
	→	

人物相関図を作ろう

そのキャラクターは本当に必要か

　主要なキャラクターを作ったら先へ進む前にやってほしいことがある。人物相関図を作成することだ。

　主人公を中心に、名前をつけた人物全員の立場と関係を右上の図のように挙げてほしい。人物同士の関係性や相手をどう思っているかを書けばいい。

　すると、ご覧のとおり誰とも繋がらないキャラクターがいたり、大して重要ではない関係があったり、同じような立場のキャラクターが複数人いたりすることがある。このようなキャラクターは少なくとも本筋には必要ない。物語に深く関わらないからだ。そのため、右下の図のように相関図から消そう。そうすればすっきりするはずだ。

　消したキャラクターだが、まったく登場させてはいけないわけではない。名前がつかないキャラクター、つまりモブにすればいいのだ。

　なぜ名前をつけないのか。読者はキャラクターの名前を何人も覚えていられないからだ。極端な話ではあるが、主人公のクラスメイト全員に名前がついていたらどうだろう？　全員を覚えられる人はそういないのではないだろうか。さらに主要キャラクターと混同して覚えてしまう危険もあり、ややこしくなってしまうかもしれないのだ。それらを防ぐためにも、この場合は「クラスメイト」と記号化するといい。

何人出してもいい？

　名前をつける、つまり主要なキャラクターは何人が適切なのか。

　長編作品なら、筆者は3〜5人を提唱している。

　主人公、ヒロイン、ライバル、プラス敵と友人が基本形だ（もちろん主人公以外の立場は適宜変更していい）。キャラクターシートも、サンプルは紙幅の都合上3人分のみ掲載しているが、5人分作成するといいだろう。5人以上はキャラクターの書き分けが難しく、かつひとりひとりを魅力的に描けなくなってしまう。長編作品が原稿用紙350枚だと仮定して、キャラクターの人柄を十分出すのに1人につきおおよそ50枚割きたい。

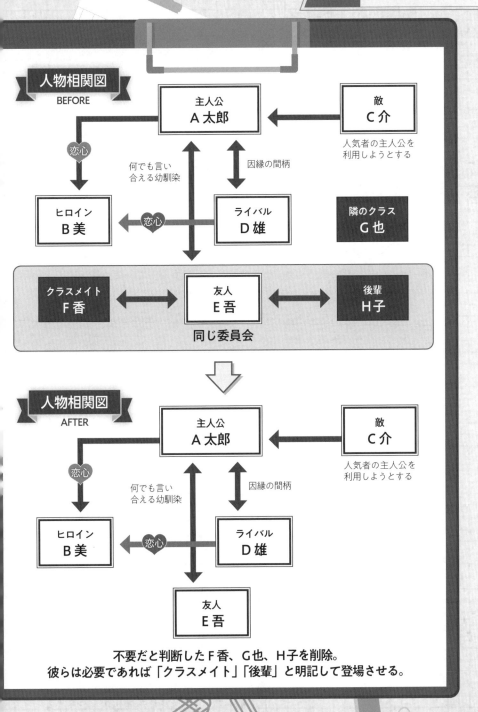

人物相関図 BEFORE

敵 C介
人気者の主人公を
利用しようとする

主人公 A太郎

恋心

何でも言い
合える幼馴染

因縁の間柄

ヒロイン B美

恋心

ライバル D雄

隣のクラス G也

クラスメイト F香

友人 E吾

後輩 H子

同じ委員会

人物相関図 AFTER

敵 C介
人気者の主人公を
利用しようとする

主人公 A太郎

恋心

何でも言い
合える幼馴染

因縁の間柄

ヒロイン B美

恋心

ライバル D雄

友人 E吾

不要だと判断したF香、G也、H子を削除。
彼らは必要であれば「クラスメイト」「後輩」と明記して登場させる。

読者ウケするキャラクターとは

　小説にはさまざまなキャラクターが登場する。その中でも、読者にウケる
キャラクターとそうでないキャラクターがいるだろう。読者ウケするキャラク
ターの特徴は主に２種類ある。「憧れるキャラクター」と「感情移入するキャ
ラクター」だ。

憧れ

　子どもの頃、男性なら戦隊ヒーロー、女性なら魔法使いや戦う女の子に憧
れたものではないだろうか。それが憧れとは分からなかったかもしれないが、
「自分もこうなりたい！」と思った方は多いかと思う。

　憧れているキャラクターには自ずと興味が湧く。彼らの行動を目で追って
しまう。言い方を変えると、贔屓（ひいき）するのだ。

　では、憧れるキャラクターとは具体的にどういったものだろうか。

> **1. 強さ・才能**
> 　戦隊ヒーローはこれに当てはまる。常人ではあり得ない力を持つ。
> もっと身近なところでいうと、スポーツができたり芸術面で秀でてい
> たりする人など。自分にはない力に憧れる。
>
> **2. 立場・地位**
> 　ライトノベルでよくあるハーレム状態はこれになる。他にも分か
> りやすいところで、億万長者や大統領などといった頂点の地位に就く
> 人。こちらも自分では到底なれそうにない身分に憧れを抱く。
>
> **3. 性格・人柄**
> 　優しかったり男前だったり、あるいは根性があるなど。こちらは
> 不可能ではないが、なかなか実行しにくいものでもある。また、それ
> らの特徴によって人望があることにも憧れるだろう。

　これらの要素を使いながら、多くの読者が憧れるようなキャラクターを作
りたい。

感情移入

　憧れてもらうために完璧な超人キャラクターを作ればいいのか、というとそういうわけでもない。先述の1～3すべてを兼ね備えているキャラクターがいるとしよう。どうだろうか。人間離れしすぎていて、逆に取っつきにくくないだろうか。なんでもやりすぎはよくないのだ。

　そこで、読者がキャラクターに同調するような要素を入れればいい。強大な悪と互角に渡り合えるくらいの力を持っているが、兄弟とすぐに喧嘩をしてしまい、仲直りの方法を模索しているキャラクター。大金持ちだが、それゆえに金目当ての者ばかりがはびこって友達が1人もできないキャラクター。誰にでも優しく、一度始めたことは必ず最後までやり遂げるものの、自分の主張を表に出すことができないキャラクター。

　これならどうだろうか。人間臭さが出た、かつ自分と同じような悩みを抱えていて身近に感じられるのではないだろうか。

　悩みだけではなく、弱点を持たせるのも手だ。天才少年でありながら嫌いな食べ物はピーマン、モテてハーレム状態なのに女子が苦手、などといった弱みを見せると共感を覚えたり親近感が湧いたりする。

　このように、憧れと感情移入の要素を上手くミックスさせたキャラクターは魅力的に見えるのだ。

魅力的なキャラクター

憧れ
自分にはなれないものに憧れ、自分もそうなれたらと感じる。

例
・超能力を持っている。
・類いまれな才能がある。
・日本でたった1人の○○で、もてはやされている。
・努力を惜しまず、弱音も吐かない。

感情移入
自分と同じ悩みや弱点を持ち、同調することで身近に感じる。

例
・進路を迷っている。
・好きな人がいて、告白する勇気がない。
・億ションに住むほどのお金持ちなのに、高所恐怖症など。

憧れと感情移入を兼ね備えたキャラクターを作ることが重要！

キャラクターを作り出すには

　魅力的なキャラクターの条件は分かった。早速当てはめつつキャラクターを作ろう――としたところで、詰まる人がいるかもしれない。実際にどんな人物にすればいいのか、具体例が思い浮かばない恐れがある。

　人はインプットをしなくてはアウトプットができない。ある程度のストックが頭の中にないと何人も作るのは大変だろう。それなら常日頃から材料を集めていればいいのだ。つまり、人間観察をするのである。

　一歩外に出ればさまざまな人が町を歩いている。近所の顔馴染から初めて会う人まで。都会に出れば何人もの人と " 初対面 " になる。

　普通ならすれ違って記憶にも残らない他人だが、少し意識を変えてみよう。怪しまれない程度に観察してみるのだ。すると、まず人によって歩き方から違うことが分かる。次に鞄はどちらの手で持っているか、肩からかけているか、そもそも持っていないか。千差万別だ。

　それだけではキャラクターづくりの材料にするには少し弱いので、何か変わったことはないか探してみよう。個性的な服装をしていたり、珍しい仕草をしていたり、しゃべり方に特徴があったり。大仰なものはなかなか見つからないだろうから、小さなものでいい。それを元にし、アレンジをするのだ。

　例えば、「～じゃん？」が語尾に必ずつく人を見つけたとしよう。その特徴にプラスして、『常に喧嘩腰で機嫌が悪いが、大好きなプリンを食べている間だけはなぜか語尾がなくなり、人当たりもよくなる』といった具合だ。プラスしたり、2 つの要素をかけ合わせて割ってみたりとやり方はいろいろある。大事なのは、よく観察し多くの材料を得ることだ。

関係萌えを極めよう

　キャラクターを作ることができた。それを物語でどう活躍させるかが次の課題になるわけだが、もうひとつ注目したい点がある。キャラクター同士の関係性だ。

　物語は事件やアクシデントだけで動いているわけではない。キャラクター間のやり取りによって展開されていくものでもある。ただストーリーの流れに沿って動いているだけではキャラクターは人形のようになってしまう。一

緒に行動をしていれば相手の評価や見方が変わってくるはず。物語が進んでいくにつれ関係性にも変化が起こり、読者はそれを楽しむのだ。

　少女マンガを例に挙げてみよう。初めは仲の悪かった男女がさまざまなアクシデントやエピソードを経て親密度を上げ、最終的には結ばれるのが王道である。または相手に一目惚れし、好きになってもらうまでいろいろとアピールをする。相手もそんな彼女を見て徐々に好きになっていく。結ばれるまでの過程には関係の亀裂の危機もあるだろう。読者は一緒になってドキドキハラハラしたりして、主人公たちを応援していく。これは先述した感情移入と共通している。

　人々の関係性は恋愛だけではない。友情、家族愛、ライバル関係などいろいろあるはずだ。因縁や憎悪といったマイナスの関係も該当する。それらは急に生まれるものではない。物語の中で少しずつ育ませるのだ。

　プロットを作る際にはストーリーの流れだけではなく、キャラクター間の関係性の変化も一緒に考えよう。本筋からは離れ、関係性に言及するエピソードを作ってもいいくらいだ。ただしやりすぎて本筋がぼやけないように注意したい。

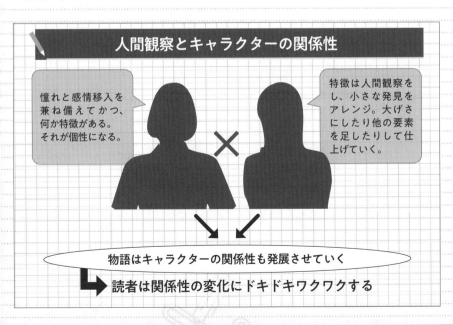

人間観察とキャラクターの関係性

憧れと感情移入を兼ね備えてかつ、何か特徴がある。それが個性になる。

特徴は人間観察をし、小さな発見をアレンジ。大げさにしたり他の要素を足したりして仕上げていく。

物語はキャラクターの関係性も発展させていく

読者は関係性の変化にドキドキワクワクする

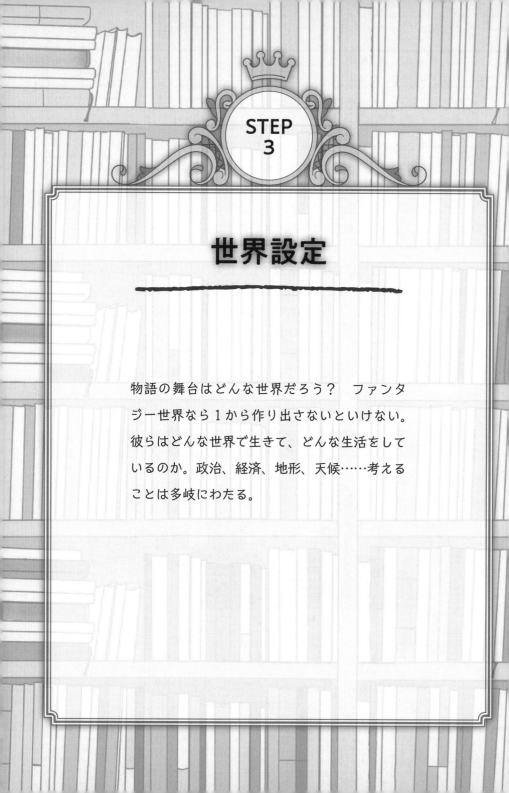

STEP 3

世界設定

物語の舞台はどんな世界だろう？　ファンタジー世界なら1から作り出さないといけない。彼らはどんな世界で生きて、どんな生活をしているのか。政治、経済、地形、天候……考えることは多岐にわたる。

キャラクターたちが生きる世界

　ファンタジー世界を描くなら、殊更世界設定は重要だ。物語の中に設定をすべて入れ込むと説明になってしまうので、作中に出すのは必要分だけでいい。しかし、書き手側は矛盾を発生させないためにも、薄っぺらい世界にしないためにもある程度のことは考えておかないといけない。

　設定ひとつ変えるだけでキャラクターの生活環境も変化する。それを念頭に置いた上で、ストーリーとの兼ね合いも意識し、考えていこう。

生活に寄り添うような設定に

　世界設定シートの使い方はキャラクターシートとほぼ同じで、必要な項目を埋めていく。まずは基本としてベースの世界と時代を設定する。ファンタジー世界で鉄板なのは中世ヨーロッパだろうか。そこに、魔法や超能力などの要素があれば入れよう。

　次に国名とあれば首都、それから地形。地形はイタリアのように縦に伸びていれば、東西の移動はそう時間がかからないが、南北は大移動になるかもしれない。それに、北と南では天候が違う場合もある。それらは天候の欄に書き入れよう。

　交通手段と技術・文化は実は重要だったりする。現代なら新幹線や飛行機を使えば容易く移動できるだろうが、中世ヨーロッパではそうはいかない。魔法などで瞬間移動する場合を除けば、徒歩か馬車になることが多いだろう。その移動時間も物語を進行させていく上で考慮しなくてはならない。

　他国との関係を考えるのは、国の歴史について言及するためだけではない。同盟国があれば戦争になった時、その国が味方になり戦力になる。もっと身近なところでいえば、陸に囲まれ海がない国とした時、他の国から魚を輸入することで市民の食卓に並ぶ、なんて設定もできるのだ。食事シーンはキャラクターの性格だけでなくその国の風土や文化を見せるのに適している。

　あとは過去にあった大きな出来事、現在の問題があれば書き込もう。主に政治関係になるだろうか。これを、国ベースだけではなくキャラクターたちが滞在する町ベースでも考えたい。

世界設定シート・テンプレート

国と地域・町では規模が違うので別々に設定を作る。現代が舞台だとしても場所によって状況は変わるので、端折らないで考えてみよう。

ベース		時 代	
ファンタジック要素など特殊設定			

国（星）の設定	
国名	首都
地形・地理	
人口・住んでいる種族	
四季の有無・天候	
政治（王政、民主主義 etc.）	
交通手段	
信仰	
文化・国民性	
秀でた技術・産業	
他国との関係	
過去の大きな出来事	
抱えている問題	
その他の特色	

> **Point!** 天候でその土地の特色を出すことができる。雨ばかり降ったり、乾燥していたり。すると人々の生活にも影響がある。戦争や政治改変などもあれば書き込んでおこう。

テンプレート

地域・町の設定			
地名		国のどこにあるか	
地形・地理			
人口・住んでいる種族			
四季の有無・天候			
政治（誰が治めているか）			
交通手段			
信仰			
地域性			
秀でた技術・産業			
他地域との関係			
過去の大きな出来事			
抱えている問題			
その他の特色			

Point! 登場する国や町がいくつかあるようなら適宜作成しよう。地域性は
その地域ならではの食べ物や風習があれば書き込もう。

▶ サンプル【ファンタジー】 世界設定シート

ベース	日本	時代	近未来
ファンタジック要素など特殊設定	人間の寿命が可視化されている		

国（星）の設定			
国名	アイオーン	首都	悠久都市 （ゆうきゅうとし）
地形・地理	全体的に勾配が少なく、ユニバーサルデザイン風		
人口・住んでいる種族	5万人程度・人間		
四季の有無・天候	人工的に四季を再現しており、その一環として雨も降る		
政治（王政、民主主義 etc.）	市長が全市民を統治している		
交通手段	徒歩、四輪車、二輪車		
信仰	なし（ただし、市長に逆らうと追放される）		
文化・国民性	通貨として寿命が用いられる		
秀でた技術・産業	生活に直結する技術はすべてにおいて秀でている		
他国との関係	都市の運営に必要な技術をすべて持っているため他との交流はない		
過去の大きな出来事	ある日突然寿命を食らう化け物が出現したことで人類を守るため都市が生まれた		
抱えている問題	人類の緩やかな減少		
その他の特色	四方と天井を強固な壁に覆われている		

地域・町の設定			
地名	利那地区 （せつなちく）	国のどこにあるか	都市以外の場所 すべて
地形・地理	かつて街だったものの残骸が転がっていて歩きづらい		
人口・住んでいる種族		100万人以上、人間、人造人間、化け物など	
四季の有無・天候		有・全体的に乾燥している	
政治（誰が治めているか）		統治者がいないため無法地帯と化している	
交通手段	徒歩		
信仰	なし		
地域性	弱肉強食、多くは都市の廃棄物から生活の糧を得ている		
秀でた技術・産業	戦闘能力		
他地域との関係			
都市へは選ばれた人間しか入れないため関係を持つことはない			
過去の大きな出来事			
かつて存在した最大規模の都市が破壊され元住人の多くが路頭に迷った			
抱えている問題			
無法地帯ゆえに弱者の生命・人権・財産などが守られない			
その他の特色	地上は化け物が徘徊しており、人々は地下通路で息を潜めて暮らしている		

サンプル

舞台を整理する

矛盾が生じやすい移動距離と時間

　現代において、東京から大阪に移動する手段はいくつかある。飛行機なら1時間、新幹線なら車種にもよるが早くて2時間半、車なら高速道路を用いて6時間以上、といったところだ。

　同じ日本でも、江戸時代だったらどうだろう。交通手段は徒歩、駕籠（かご）、馬、船辺りに限られる。そうなるととても数時間での移動は無理だ。徒歩の場合、早くて数日、のんびりしていたら数週間かかることもある。

　多くの方が「そんな当たり前のことを……」と思うかもしれない。しかし、小説執筆においてここが矛盾を生んでしまう落とし穴になったりするのだ。

　同じく江戸時代を例に挙げてみよう。江戸にいる主人公が急な事情で翌日には大阪にいなければならなくなった。それを、なんの説明もなしに次のシーンで翌日大阪にいたらどうだろうか。先に説明した通り、ほぼ不可能に近いのだ。たとえ馬を使ったとしても途中休憩が必要だろうし、やはり難しい。

　執筆していると案外やってしまいがちなミスだったりする。ここまで分かりやすいミスはあまりないかもしれないが、よくよく読むと「おかしいぞ？」と感じる矛盾が生まれやすいのだ。

簡易地図を作ろう

　ミスをしてしまったとしても時系列を修正すればいいだろう。しかし、綿密に時間の流れを設定しなければならない物語（ミステリーや時間制限がある話など）だとそうはいかない。それに初めからきちんとしていれば修正の必要もないのだ。

　まず、キャラクターたちが足を踏み入れる土地——町や森、城、平野などをリストアップしよう。そして、位置関係を設定するため、簡単な地図を作る。世界設定シートで決めた地形に沿うようにするのを忘れずに。

　次に各地へ移動するにはどれくらいの時間がかかるかをメモしていく。さらに次に紹介する場所一覧シートにも書き込んで、いつでもすぐに確認できるようにしよう。こうすればミスがなくなるはずだ。

簡易地図

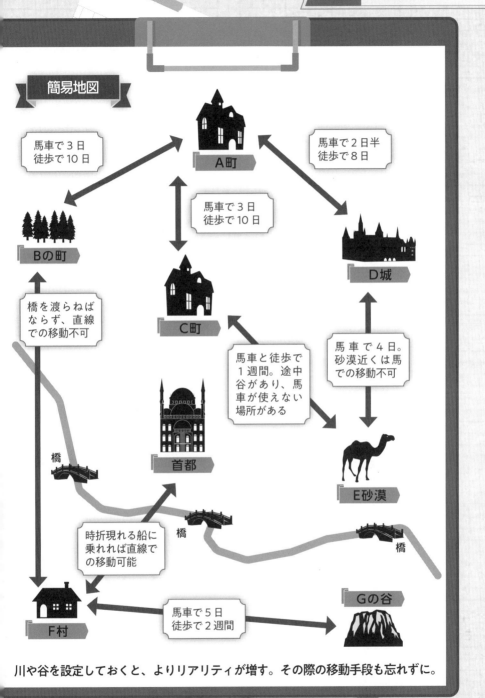

馬車で3日
徒歩で10日

馬車で2日半
徒歩で8日

A町

馬車で3日
徒歩で10日

Bの町

D城

C町

橋を渡らねば
ならず、直線
での移動不可

馬車と徒歩で
1週間。途中
谷があり、馬
車が使えない
場所がある

馬車で4日。
砂漠近くは馬
での移動不可

橋

首都

E砂漠

時折現れる船に
乗れれば直線で
の移動可能

橋

橋

F村

馬車で5日
徒歩で2週間

Gの谷

川や谷を設定しておくと、よりリアリティが増す。その際の移動手段も忘れずに。

53

場所一覧シート・テンプレート

キャラクターたちが滞在したり目的地としていたりする箇所をリストアップ。その上で行き来するのにどれくらいの時間がかかるかを書き込もう。

場所の名前	
説明	

他の場所との位置関係・距離	
場所	位置関係・距離

場所の名前	
説明	

他の場所との位置関係・距離	
場所	位置関係・距離

Point! キャラクターたちが使用している交通手段でかかる時間をメモしておこう。

テンプレート

場所の名前	
説 明	

他の場所との位置関係・距離	
場 所	位置関係・距離

場所の名前	
説 明	

他の場所との位置関係・距離	
場 所	位置関係・距離

▶ サンプル **場所一覧シート**

場所の名前	刹那地区
説　明	寿命を食う化け物が徘徊する無法地帯。

他の場所との位置関係・距離	
場所	位置関係・距離
悠久都市	徒歩1時間程度
地下通路	徒歩1時間程度
永劫都市跡地	徒歩3時間程度

場所の名前	地下通路
説　明	刹那地区の地下にある通路。化け物がいない。

他の場所との位置関係・距離	
場所	位置関係・距離
刹那地区	徒歩1時間程度
悠久都市	徒歩2時間程度
永劫都市跡地	徒歩2時間程度

場所の名前	悠久都市
説明	強固な壁に覆われた人間たちの楽園。

他の場所との位置関係・距離	
場所	位置関係・距離
刹那地区	徒歩 1 時間程度
地下通路	徒歩 2 時間程度
永劫都市跡地	徒歩 4 時間程度

サンプル

場所の名前	永劫都市跡地
説明	かつてあった大都市の跡地。現在は廃墟。

他の場所との位置関係・距離	
場所	位置関係・距離
刹那地区	徒歩 3 時間程度
悠久都市	徒歩 4 時間程度
地下通路	徒歩 2 時間程度

世界設定編

キャラクターの生活

　世界設定を作る際、大切なのは「キャラクターたちがその場所で生活をしている」と意識することだ。私たちは普段、衣食住が確保された環境の下で暮らしている。いくらファンタジックな世界だとしても、それはキャラクターたちも同じはず。それでは彼らはどのようにして衣食住を手に入れているのか、それを考えてほしいのだ。

　もっと突き詰めていうと、お金をどのように得ているか、ということである。いくら物語といえど、お金が湧いてくるわけがない。なんらかの手段で稼がなくてはならないのである。すぐに思いつくのは仕事をして稼ぐ、だろう。ではその世界ではどのような仕事があるだろうか。パッと出てくるところだと、飲食店や商店といったところだろうか。怪物がいる世界での冒険者なら、それらを狩ることで報酬を得ているかもしれない。

　こういった部分を物語中で詳しく描くべき、というわけではない。きちんと設定しておき、もし誰かに聞かれても答えられるようにしておいてほしい。そうすることでその世界のリアリティが増すのだ。リアリティはほんの些細な描写で活きてくる。キャラクターの生活が垣間見えるのだ。

　もちろん、お金を稼ぐという名目でエピソードを作ってもいい。起承転結の「起」でそれを行えば、世界観を説明するのにちょうどいいだろう。

キャラクターの社会

　考えておきたいのはキャラクターの家計だけではない。先述の報酬を支払っているのは誰だろうか？　どこかにそういった専門の組織があるのだろうか？

　支払者を決めることでその世界――少なくとも主人公の周囲がどのような社会になっているのかも窺うことができる。報酬のお金は政府が怪物討伐のために予算を組んでいて、専門の組織に討伐を委託し、その組織から主人公たちに報酬が渡されているかもしれない。または、とある億万長者が怪物の毛皮欲しさに主人公に依頼している、という設定でもアリだ。

人がたくさんいれば文明の差こそあれど、社会は構築される。物語に合わせた社会を設定したい。

読者をしらけさせない工夫

　お金の話をしたところで。あなたが考えた世界の通貨はなんだろうか。異世界で円やドルということはないはずだ。それでは、現実世界での長さの単位「センチ」は、あなたが考えた世界ではなんという単位だろうか?

　現実世界とかけ離れた異世界で、私たちが普段目にしている単位を出してはいけない。小説は手軽に擬似体験ができるコンテンツだ。読者は文字でその世界を楽しむ。そこに「センチ」や「メートル」が出てきたら、現実に引き戻されてしらけてしまうだろう。たとえ地の文の説明でだとしてもだ。

　ではいちいち単位の名称を決めないといけないのかというと、そうではない。決めてもいいのだがいくつも設定してしまうと読者が覚えられなくなってしまう。そのため、その世界にもありそうなもので例えればいいのだ。「リンゴ1つ分の大きさ」「小さな子どもと同じくらいの重さ」などである。また、人の体の部位で例えてもいいだろう。

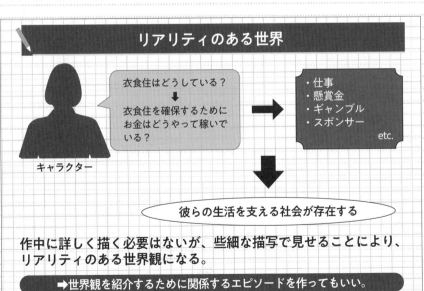

作中に詳しく描く必要はないが、些細な描写で見せることにより、リアリティのある世界観になる。

➡世界観を紹介するために関係するエピソードを作ってもいい。

現代の世界設定

　ファンタジー世界ではなく現代を舞台にした物語を作りたい場合、世界観は一切考えなくてもいいのかというと、そういうわけでもない。どこを舞台にするかで気候や街の発展具合が変わるので、モデルの土地は決めておきたい。また、フィクションなのだから現実にはあり得ない設定をつけてもまったく問題がないし、むしろ面白さに繋がる。

　そこで、現代に何か要素をプラスした世界を作ってみてもいいだろう。いくつか例を挙げてみた。

- **超能力者が当たり前にいる世界**
- **一般人が宇宙で暮らせる世界**
- **日本国内に限り四季が自由に設定でき、県によって季節が違う世界**
- **生徒会が学校を支配している世界**
- **人間よりも犬を大切にしなくてはいけない世界**

　前半3つは現状実現不可能だ。現代にあり得ない設定を付け加えることで、ファンタジックな世界観を作ることができる。俗に言う「現代ファンタジー」だ。

　後半2つは不可能とは言わないが、実現することはほぼない設定。とはいっても犬を大切にするのは歴史上実際にあったことで、江戸時代に徳川綱吉が制定した生類憐みの令のことである（実際には犬だけではなく動物のほとんどを殺してはならないという法だったのだが、ここでは割愛する）。歴史の授業で習うので覚えている方もいるのではないだろうか。

　このように、ありそうであり得ない設定をつけることで、読者は想像力が掻き立てられる。要領はキャラクターづくりと同じで、何かひとつ変わった要素を入れてみるところから始めるといい。

現代世界のメリット

　小説は手軽な擬似体験、つまり非日常を味わえるコンテンツだ。より刺激的な擬似体験をしたいならファンタジー世界が舞台の物語のほうがいいかもしれない。

　しかし、現代世界が舞台でもメリットがある。作り手側としては1から世

界を作らないでいいし、社会の仕組みや常識の説明も最低限で済む。

　一方で読者側のメリットは、想像がしやすいことだ。ファンタジー世界はどのような光景が広がっているか、文字とあるなら挿絵の情報だけで想像しなくてはいけない。しかし、現代世界なら普段いくらでも見ている。物語に入り込みやすい。

　いくらでも見ているということは新鮮味がないということでもあるので、先述の通り現代を土台にどのような設定で世界を彩るかが面白さの鍵になる。生類憐みの令のように変わった歴史を調べてアレンジしてみてもいいかもしれない。

人の価値観

　人は暮らし方や接してきた人が違うだけで価値観がかなり変わる。自分が常識だと思っていたことが相手には伝わらなかったり、逆に非常識と取られたりすることは普段の生活でもあるのではないだろうか。

　これが、住んでいる世界まで違っていたらどうなるだろう。怪物が当たり前のように住む世界では、怪物に襲われることにより人の死が日常的なものになっているだろう。道端に死体が転がっていても誰も驚かない。私たちには理解できないかもしれないが、彼らの考えを想像し、キャラクターの行動や考えに反映させたい。

ファンタジー世界と現代世界

ファンタジー世界

メリット
・物語に合わせ、好きに世界を作れる。
・読者が体験し得ないので、新鮮味がある。

デメリット
・作中での説明事項が多い。
・現代の要素（単位など）を持ち込むとしらける。
・キャラクターの価値観がかなり違う場合がある。

▶ どこの世界でもありそうなものや人で例えるといい

現代世界

メリット
・土台があるので多くを設定しなくてもいい。
・読者が想像しやすい。

デメリット
・自由度がファンタジー世界と比べ少ない。
・新鮮味がない。

▶ 特徴ある要素をひとつ足し、非日常を演出するといい

時系列（カレンダー）

物語の中でも当然時間は経過する。場面が切り
替わった時、どれくらいの時間が経っているの
かきちんと考えているだろうか？　あまり関係
のないストーリーだから大丈夫、と油断してい
ると思わぬミスをしてしまうかもしれない。

途中でわけが分からなくなる時系列

　プロットを作る段階でおおまかな時間の流れはもちろん設定していると思う。しかし、シーンが進むごとに流れる、細かい時間はどうだろう？

　例えば『主人公とヒロインが喧嘩をした翌日』だったり、『ヒロインを助けた2時間後』だったり。深く考えずにシーンの初めにガイドとして適当な数字を書いていたら、後から「このシーンは物語冒頭から何日経っているんだろう？」や「3カ月経過していないといけないのに、見直したらまだ2カ月しか経ってない！」といったことになってしまうことがある。日付だけならまだ修正は容易かもしれないが、曜日まで設定していたら骨が折れるだろう。食堂の曜日別のメニューで金曜日はカレーの日なのに、きちんと修正したらその日は木曜日になってしまう……なんてことがあるかもしれない。

　ミステリー作品や時間経過が重要なキーになる物語でもない限り、時間経過は意外と見落としがちな要素のひとつになる。作中には直接関係がないからだ。しかし、矛盾を生まないためにもあらかじめ設定をしておきたい。そこで、日時と関わるキャラクター、何があったかを一覧にまとめるシートを用意した。

他の情報も入れて一覧表に

　物語では過去の出来事を回想として描くこともある。このシートでは物語の展開の順番は無視し、あくまで時系列順に並べよう。たとえ過去の回想が物語の終盤に語られるとしても、シートには過去の出来事として初めに書き込んでおく。

　その後も時系列順に書き込んでいこう。関わるキャラクターや場所、何があったかもメモしておくと一覧性が高まり分かりやすい。A地点からB地点に移動しているのに、この時間では足りなくてたどり着かない！　などといったミスを見つけやすくなったりもする。

　時系列をあらかじめ決めるのは難しい（時間がかかる）場合は、シーンを書き終える度にこのシートにメモしておこう。そうすればわざわざ本文を見直さなくてもチェックができるし、修正が必要になったとしても、最小限に抑えることができる。

時系列シート・テンプレート

日時の他にどこの場所でのシーンかもメモしておくと後々便利。「シーンNo.」はSTEP.5で紹介するシーン分けのNo.を振ろう。

現在／過去	西暦	月日	時間	関わるキャラクター

テンプレート

特に時間の流れを整理しておかないと矛盾が生じることも。過去の回想シーンも含めて書き込んでおく。「関わるキャラクター」にはそのシーンに登場しているキャラを書き込もう。

何があったか	場所	シーン No.

▶ サンプル 時系列シート

サンプル

現在／過去	西暦	月日	時間	関わるキャラクター
過去	2029年	4月10日	7時	主人公、ヒロイン、ヒロインの母
	2035年	7月21日	15時	主人公、ヒロイン
	2042年	12月31日	19時	主人公、ヒロイン、ヒロインの母
	2043年	3月1日	8時	ヒロイン、市長
現在	2045年	6月19日	8時	市長、市長代理
			9時	ヒロイン
			10時	ヒロイン
			16時	主人公
		6月20日	9時	ヒロイン
			13時	主人公、弁護士
			20時	主人公、サブヒロイン
		9月16日	12時	主人公、ヒロイン、弁護士
		9月19日	10時	市長
		10月6日	12時	主人公、ヒロイン、弁護士
		11月5日	11時	主人公、ヒロイン、弁護士
		12月5日	10時	主人公、ヒロイン、弁護士

66

サンプル

何があったか	場所	シーン No.
ヒロインが捨てられた主人公を発見、ヒロインの母が引き取る。	先住民族集落	
イジメを受ける主人公、庇ってくれるヒロインに恋心を抱く。	先住民族集落	23
ヒロインの母が病死する。	自宅	
ヒロインが市長にスカウトされ、市長補佐に就任。	市庁	
市長が事故死。その遺体を発見した市長代理、ヒロインに罪を着せることを思いつく。	市庁	
市長の遺体を発見し、通報。	市庁	
ヒロイン、駆け付けた警察によって身柄を拘束され、事情聴取を受ける。	市庁	
ヒロインが市長殺害の容疑者になっていることを知る。	パトカー	9
市長の死が公になり、ヒロインが市長殺害の犯人として起訴される。	留置所	13
主人公がヒロインの弁護を依頼する。	弁護士事務所	14
主人公がサブヒロインの店で働き始める。	街	16
第1回公判。	裁判所	18
土地開発計画を立案。	市庁	26
第2回公判。	裁判所	27
第3回公判。	裁判所	28
ヒロインに有罪判決が下される。	裁判所	30

現在 / 過去	西暦	月 日	時間	関わるキャラクター
		12月18日	10時	主人公、市長代理
	2046年	1月25日	20時	主人公、サブヒロイン、弁護士
		1月29日	22時	主人公、ヒロイン
		1月30日	8時	ヒロイン
		4月9日	8時	主人公、ヒロイン
	2053年	4月10日	12時	主人公、ヒロイン

何があったか	場所	シーン No.
主人公、市長代理の部下になる。	市庁	36
市長の遺品から 市長代理の悪事の証拠をつかむ。	弁護士事務所	39
主人公が囚人護送車を襲撃し、 ヒロインを救出する。	街	41
ヒロインの無罪が認められ釈放される。	病院	44
旅立つヒロイン、主人公にプロポーズする。	海辺	47
新たな市長、市長補佐が 人種の壁がない理想郷を作る。	街	48

サンプル

ミニ講座　　　校正編

ミスはなくならない

　時系列シートは物語の整理とミス防止を目的としている。ここまで何度か
ミスについて言及してきた。

　ミスをまったくせずに長編作品を執筆することは不可能に近い。なにせお
およそ10万文字を書くのだ。執筆期間は長期に及ぶ。いくらミス防止に努
めたとしても人には限界がある。そのため、致命的なミスをなくす、細かい
ものも可能な限り減らすのを目標にしよう。

　では、残ったミスはどうすればいいか。見直しの際に見つけて修正すれば
いい。見直し、すなわち推敲だ。今回はこの推敲について解説したい。

印刷が必須

　推敲はどのように行えばいいのか。ほとんどの人がパソコンやスマートフォ
ンで執筆している昨今、原稿を印刷せずに画面上で推敲をしていないだろうか。

　推敲は印刷して行ってほしい。これは必ずといっていいくらいだ。

　画面上で隅から隅まで読んでいるつもりでも、意外と見落としが多いから
である。細かい文字などは目が滑りスルーしてしまう。一方、印刷するとじっ
くり読める。また、赤字を入れることでどこをどのようにミスしてしまった
のかを残すこともできる。次回の執筆の際に参考になるだろう。

　また、推敲はミスを探すだけの作業ではない。単純に物語が面白くなって
いるか、足早な展開になっていないか、キャラクターをきちんと描けている
か、客観的に読み直し、確認してみよう。そのためにも、書き上げてから数
日は原稿を置いてほしい。一旦その作品から離れ、自分が1人目の読者になっ
たつもりで読むといいだろう。

　ここまでは最後まで書き上げた場合の推敲について述べた。が、推敲は執
筆途中でもやるといい。STEP.1で「起承転結の中にさらに起承転結を」と
いう話をした。そこで、起承転結ごと、あるいは章ごとに見直しをするのだ。
章だけで見ると盛り上がりが足りないと感じたらエピソードを追加すればい
いし、伏線を張るのもアリだろう。

校正記号

　プロ作家になると自分や編集者が推敲を行うのとは別に、プロの校正者が原稿をチェックする。校正者は専用の記号を用いながら原稿への指摘を行う。この記号を校正記号（編集記号）という。このページでは基本的な校正記号を一部紹介する。

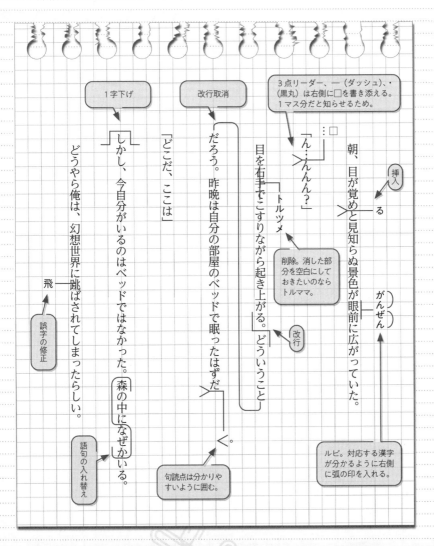

1字下げ

改行取消

3点リーダー、―（ダッシュ）、・（黒丸）は右側に□を書き添える。1マス分だと知らせるため。

挿入

トルツメ

削除。消した部分を空白にしておきたいのならトルママ。

改行

がんぜん

誤字の修正

語句の入れ替え

句読点は分かりやすいように囲む。

ルビ。対応する漢字が分かるように右側に弧の印を入れる。

朝、目が覚めと見知らぬ景色が眼前に広がっていた。

る

がんぜん

目を右手でこすりながら起き上がる。どういうこと

「ん…んんん？」

:□

だろう。昨晩は自分の部屋のベッドで眠ったはずだ

「どこだ、ここは」

しかし、今自分がいるのはベッドではなかった。森の中になぜかいる。

どうやら俺は、幻想世界に跳ばされてしまったらしい。

飛

シーンを50に分ける

いくつものシーンを積み重ねて作られるのが小説。ひとつひとつのシーンには何かしらの意味がなければならない。状況やキャラクターの心境の変化などをきちんと把握するため、シーンを一覧化しよう。

シーンは全部でいくつ？

　ここまでいくつかの準備を経て、ようやく執筆に入るかと思う。しかしもう少しだけ待ってほしい。最後にやっていただきたい作業がある。

　長編作品、原稿用紙およそ 350 枚分。その中にシーンはいくつあるか考えたことはあるだろうか。1 作書き上げたことがある人でもそう把握していないかと思う。

　目安として提唱したいのが、50 である。これより多すぎると細切れのシーンが多く、テンポが悪くなる恐れがある。逆に少なすぎるとシーンの切り替えがあまりなく、だらだらとした印象を与えてしまう。それらを防ぐために 50 という目安を設定した。なお、シーンの長さを均一にする必要はない。あっさり済ませるべきシーンもあれば、じっくり腰を据えて描かなくてはならないシーンもあるだろう。メリハリをつける意味でもその違いは必要だ。

　50 シーンをただメモ帳にでも書いておけばいいというものではない。物語を整理する目的のためにも、シーンを一覧で表示できるシートを作成しよう。

心情の変化をしっかりと描くために

　入力する項目は場所、時間、何のシーン、主要キャラクターの状態。これだけ書いておけば後から見直した際にもどこのシーンかすぐに分かる。

　特記しておくべきは主要キャラクターの状態。全体的に時系列シートと似ているが、ここが変わってくる。時系列シートはその時あった事実事項だけを書き込んだが、ここではそのシーンに登場しているキャラクターの感情も記入する。そうすることで、キャラクターの心情の変化が分かるのだ。

　一覧にしてみた際、心情が突然変化していたらそれは過程の描写不足だ。極端な例だが、嫌いな相手をひとつふたつのシーンを経ただけで大好きになっていたらおかしい。好きになるまでのエピソードがすっぽ抜けてしまっている。執筆途中では気付きにくい穴なので、補完シーンやエピソードを考えよう。

　また、既に完成している原稿があれば同じように書き込んでみよう。読んだだけでは分からなかったミスや不自然な流れが見つかるかもしれない。

50 シーン分けシート・テンプレート

どんな事件やエピソードがあり、キャラクターたちがどんな行動を取ったのか、心境の変化はあったのかを書き込もう。

No.	場所	日時	何のシーン	主人公
1				
2				
3				
4				
5				
6				
7				
8				
9				
10				
11				

きっちり 50 シーンは難しいかもしれないので、多少の増減は OK。
そのシーンによってキャラクターに何があったか、どんな心境の変
化があったかを書き込もう。重要なシーンは印をつけておいてもよい。

ヒロイン	友人	敵	その他

▶ サンプル **50 シーン分けシート**

No.	場所	日時	何のシーン	主人公
1	路地裏	1日目 昼	先住民族を虐げている ゴロツキに主人公が 制裁を加えている。	高校生。日本人だが、 先住民族に偏見を持 たない。
2	路地裏	1日目 昼	主人公とゴロツキが 揉めていると、ヒロインが 現れ、場を収めてくれる。	
3	自宅	1日目 昼	ヒロインの誕生日を祝い ご馳走を作る主人公。	ヒロインに対し 恋愛感情を持ってい るが隠している。
4	自宅	1日目 昼	食事しながら、先住民族への 差別をどうすればなくせるか 意見交換をする2人。	学校に通いながら 家事全般を 担っている。
5	自宅	2日目 朝	亡き母の形見で煙草を吸う ヒロインを眺め、両親について 考える主人公。	捨て子で、ヒロイン の母に育てられた。
6	街	2日目 朝	ヒロインに近々市長選挙が あることを聞かされる。	市長のことは あまり良く 思っていない。
7	学校	2日目 昼	先住民族と親しくしていること で嫌がらせを受ける主人公。	加害者に容赦なく やり返すメンタルを 持っている。
8	学校	2日目 夕方	帰ろうとしていると 突然警察が来て連行される。	
9	街	2日目 夕方	市長が殺害され、 ヒロインが容疑者として 勾留されたことを知る。	
10	留置所	2日目 夕方	拘束されたヒロインと再会。	激高して暴れたせい で追い出されて しまう。
11	公園	2日目 夕方	市長選挙に参加するため 本島から来ていた役人と会う。	既視感を抱く。 (幼少期に一度遠目で 見たことがある)

サンプル

ヒロイン	友人	敵	その他
			舞台となる離島では、日本人が先住民族を差別している。
主人公の幼馴染。先住民族。市長補佐で権力がある。			
主人公のことは可愛い弟という感覚。			
高校卒業とともに就職し、主人公を扶養している。			2人は家族として同じ家で暮らしている。
母を亡くしたことで主人公への家族愛が強まっている。			主人公は現状に満足しており、両親を捜しているわけではない。
先住民族の自分を取り立ててくれた市長を尊敬している。			市長は日本人。
			事件はまだ表沙汰になっていない。
一貫して無実を主張している。			状況証拠からヒロインが犯人なのは確実とされている。
		本島の政治家。市長とも面識があった。	

No.	場所	日時	何のシーン	主人公
12	自宅	2日目夜	何者かがヒロインに罪を着せたという結論に至る。	ヒロインを救う方法を模索。
13	留置所	3日目朝	起訴されたヒロイン、法廷で戦うことに。主人公はヒロインを助けると約束。	
14	弁護士事務所	3日目昼	ヒロインの弁護の依頼に向かうが、法外な依頼料を吹っ掛けられる。	最初は怒るが、最終的に工面を約束し契約を結ぶ。
15	繁華街	3日目夜	求人誌を見ながら街をさまよう主人公。	
16	高級クラブ	3日目夜	サブヒロインに見初められ、高級クラブの用心棒として働くことになる。	雇用してもらうため成人済みと嘘をつく。
17	高級クラブ	35日目夜	仕事に慣れてきた主人公、職場と学校を行き来する日々。	ヒロインを心配させないよう、昼は学校に通っている。
18	法廷	70日目昼	第1回公判。	証拠は何者かの捏造と疑っている。
19	控室	70日目夕方	市長の夫がヒロインと弁護士を罵り、主人公と揉める。	証拠は捏造だと思っているが、その証拠もないのでやや押される。
20	街	71日目昼	世間では罪を認めないヒロインへの批判が強まっている。	街中でヒロインの無実を訴えるが、誰も聞く耳を持たない。
21	自宅	71日目夜	主人公が久しぶりに帰ると自宅が酷く荒らされていた。	先住民族の仕業だと気付く。
22	自宅	71日目夜	ストレスが限界に達した主人公、サブヒロインとの通話中に倒れる。	
23	先住民族集落	10年前昼	捨て子だといじめられている主人公を庇い、慰めるヒロイン。	この頃からヒロインのことが好きになる。
24	高級クラブ	71日目夜	サブヒロイン、主人公を介抱。ヒロインを見捨てることを提案。	疲弊により揺らぐが最終的に提案を断る。

ヒロイン	友人	敵	その他
			先住民族の冤罪事件は離島で頻発している。
		市長代理として離島に滞在。	市長殺害の件が大々的に報道される。
	強欲弁護士。金のためなら先住民族の弁護も引き受ける。		先住民族の弁護を引き受ける物好きは非常に珍しい。
			依頼料が高額で普通のバイトでは賄えない。
	サブヒロインは高級クラブの雇われオーナー。		
ほぼ発言を許されず。	弁護士は動機を理由に無実を主張する。	証人として出廷。	結論が出ず、次回に持ち越しとなる。
			報道にも差別があり事実が歪められている。
			先住民族はヒロインが抵抗を続けることで差別がより酷くなることを恐れていた。
	サブヒロイン、直前の会話から場所を特定し大急ぎで助けに向かう。		
主人公の境遇を幼いながらも理解し優しく接していた。		主人公を捜していたがヒロインの母が隠していた。	主人公は幼い頃の夢を見ている。
	サブヒロインは頼ってくれる主人公に執着している。		

サンプル

No.	場所	日時	何のシーン	主人公
25	留置所	72日目 昼	ヒロインと面会し、近況報告をする。	ヒロインの変化に心を痛める。
26	街	73日目 昼	市長代理が近々土地開発を行い、日本人と先住民族の居住地を完全に分断すると発表。	
27	法廷	90日目 昼	第2回公判。	苦境に立たされ焦る。
28	法廷	120日目 昼	第3回公判。	
29	留置所	121日目 昼	ヒロインとの面会。	諦め気味のヒロインを見て無力感に苦しむ。
30	法廷	150日目 朝	有罪判決が下される。	事実を受け止められずにいる。
31	高級クラブ	160日目 朝	生きる気力を失い、ボンヤリしている主人公。	学校にも通わず、仕事もしていない。
32	高級クラブ	160日目 昼	獄中のヒロインから手紙が届く。	ヒロインの真意に気付き、内容を読み解く。
33	市庁	161日目 昼	市長代理を訪ねた主人公、自分が父親だと伝えられる。	告げられた内容を否定したいが、否定できずにいる。
34	高級クラブ	161日目 夜	ヒロインに手紙を書く主人公。	情緒不安定になっている。
35	高級クラブ	163日目 朝	獄中のヒロインから手紙が届く。	ヒロインの手紙で活力を取り戻す。
36	市庁	163日目 昼	主人公は市長代理の部下として働き始める。	真相を知るためと割り切っている。
37	弁護士事務所	200日目 夜	弁護士、サブヒロインと共にヒロイン救出と土地開発計画の妨害について計画を練る。	短期間で必要な情報をすべて収集してきた。

サンプル

ヒロイン	友人	敵	その他
やつれており、2カ月前と比べ人相が変わっている。			
		土地開発計画を進める。	新たな居住地は自治区となるため、先住民族は喜ぶ。
	市長の夫が証言台に立つ。		ますます状況が苦しくなる。
	弁護士が証拠の信憑性を問うも捏造だと証明できず。	証人として証拠の信憑性について証言。	弁護側の状況は絶望的。
主人公に手を引くことを提案する。			
「この判決は本当に正しいのか？」と人々に問いかける。	弁護士はヒロインが控訴を拒絶したことが不満。	目論見通り。（ヒロインを陥れ主人公との関係を絶たせたかった）	ヒロインには終身刑が下される。
	サブヒロインは善意で主人公を店に置いている。		事件が起こる前と世間が変わらないことが主人公の無気力に拍車をかけている。
主人公にしか分からない暗号で検閲をごまかした。			手紙の内容は土地開発を止めてほしいというものだった。
		主人公のことを自分の息子と思い込み部下に勧誘する。	愛人に産ませた子でその愛人が主人公を捨てた。
	サブヒロイン、主人公に何かあったと気付いているが、そっとしている。		
親が誰でも関係ない、と主人公を元気づける。			ヒロインは主人公の本当の父親を知っているが、あえて手紙に書かなかった。
		主人公を優遇しつつ肝心な仕事は任せない。	
	弁護士は乗り気でないが巻き込まれている。	主人公にはほぼダミーの情報をつかませている。	ヒロインを含む囚人は近々移送されることが決まっていた。

No.	場所	日時	何のシーン	主人公
38	街	201日目 昼	市長の夫を訪ね 協力を求める。	市長の遺品である USB を入手する。
39	弁護士 事務所	201日目 夜	USB から、市長代理が 証拠を捏造した事実を見つける。	
40	先住民族 集落	202日目 朝	先住民族たちに ヒロインを救うため協力を仰ぐ。	
41	街	205日目 夜	護送車を襲撃。 ヒロインを救出。	ヒロインと再会。
42	街	205日目 夜	本島から招聘した役人に 市長代理の悪事を暴露。	悪事の暴露。
43	街	206日目 昼	市長代理の逮捕により 土地開発計画が白紙化。	
44	病院	207日目 朝	ヒロインが入院した病院に 関係者が集まっている。	協力者たちに お礼を言って 回っている。
45	学校	270日目 朝	主人公の学校の卒業式。	以前と違って 人に囲まれている。
46	街	270日目 昼	見聞を広めるため ヒロインが旅に出ることを決意。	驚きながらも ヒロインを応援。
47	海辺	300日目 朝	旅立つヒロインを見送る主人公。 ヒロインは主人公に プロポーズする。	ヒロインと、再会と 将来を誓い合う。
48	街	7年後 昼	離島では主人公が市長、ヒロイン が市長補佐となり、人種の壁が ない世界を作っていた。	ヒロインと共に 理想を実現。
49				
50				

ヒロイン	友人	敵	その他
	市長代理に疑念があったこと、主人公の行動に胸を打たれる。		
		データが開けず中身を知らないまま破棄し、コピーの存在は知らなかった。	USB はコピーデータだった。
		先住民族を抹殺するため、土地開発を進める。	本当は皆、ヒロインを見殺しにしたことに強い罪悪感があった。
主人公と再会。	サブヒロインと弁護士は市長代理を足止め。	足止めされすぐ現場に向かえず。	先住民族が暴動を起こしたことで襲撃が容易になった。
主人公を助け証言。		日本人の戸籍を奪った先住民族で、己の出自に強い劣等感があった。	市長は後に事故死だったと判明した。
		逮捕され本島へ送還される。	土地開発を進めていた場所は有毒ガスが発生しており、長期滞在で死に至る危険があった。
長期間の疲労で昏々と眠っている。	最後まで諦めなかった主人公に賛辞を送っている。		
車椅子で駆け付けお祝いする。			周囲の主人公への態度は柔らかくなっている。
主人公には残って弱者の力になってほしいと乞う。			
主人公と、再会と将来を誓い合う。			
主人公と共に理想を実現。			

執筆を開始すると、プロットや設定を考えていた時とはまた別の悩みや問題が発生するだろう。ここでは執筆に関わるトピックをまとめてみたので、参考にしてほしい。

一人称と三人称

　小説を読んでいると、地の文が２パターンあるのに気付くかと思う。キャラクター視点で描かれているものと、第三者の視点で描かれているものだ。前者を一人称、後者を三人称という。

　一人称はライトノベルや児童書に多く見られ、メリットは語っているキャラクターの心情をダイレクトに描けることだ。感情移入が大事な小説において、これは大きな強みである。

　もちろんデメリットもある。語っているキャラクターが見ているものしか描けないので、三人称と比べて状況描写がしにくい。極端なことをいうと、キャラクターの視界の中のものしか描けない（音や匂いは別だが）。また、他のキャラクターの心情を、視点であるキャラクターの主観でしか描くことができない。

　続いて三人称。第三者の視点、俗に「神の視点」と呼ばれている。その場の説明を客観的に行うことができ、状況描写が細かくできる。また、一人称と違い、他の場所で起こっている出来事を地の文で出すことも可能だ。

　こちらのデメリットはキャラクターの心情をはっきりとは描けないこと。もちろん「○○は××だと思った。」と書くことはできる。が、キャラクター自身の言葉よりは勢いが弱まってしまうだろう。

　どちらも一長一短で、どちらが良いという優劣はない。作品に合わせて選択するのがいいだろう。近年のエンタメ小説では一人称と三人称を上手くかけ合わせた手法が主流にもなっている。

　だが、小説を書き始めてまだ日が浅いという方はまず三人称を書くことをオススメする。描写力をつけたいからだ。どうしても一人称、という場合は練習として掌編を三人称で書くのでもいいだろう。

ガイドの重要性

　シーンが切り替わり、日時も移ったとしよう。執筆者はそれを当たり前のように分かっている。が、読者は説明をしてくれないと「今はいつでここはどこだ？」と混乱してしまう。執筆において案外抜けやすい部分だ。

　新しいシーンになった際は早いうちにその場面の状況を書くようにしよう。これを「ガイド」と呼んでいる。

　『5W1H』という言葉を聞いたことはあるだろうか？

When ＝ いつ	What ＝ 何を
Where ＝ どこで	Why ＝ なぜ
Who ＝ 誰が	How ＝ どのように

　このうち、ガイドでは前半3つを重視したい。前のシーンからどれくらいの時間が経ち、どの場所に誰がいるのかを説明するのだ。そうすれば読者はすぐに把握ができ、物語に入り込みやすくなる。大事なのは読者に考えさせないことだ。

　後半3つは小説の執筆全体において言えることだ。あえて隠すことで伏線とする場合もあるが、そうでなければきちんと説明を入れるようにしよう。

語彙力をつけよう！

　書いているものを見返した時、同じ単語が何度も出てきてはいないだろうか。特に「言う」と「見る」を頻繁に使ってしまいやすい。キャラクターの行動の描写を書くと、どうしてもこの2つの動作が頻出するのが原因である。

　しかし、日本語は多彩な言語だ。同じ「言う」でも「話した」「呟いた」「述べた」、「見る」なら「目にした」「眺めた」「凝視した」といろいろな単語がある。それぞれ意味合いが微妙に違うので使い方に注意が必要ではあるものの、使い分けて表現の幅を広げよう。

　類語辞典を読んでみると新たな単語との出会いがあるかもしれない。見直しの際、見開きページ内に同じ単語が2つ以上あるならどちらかの単語を変える検討をしたい。

セリフと地の文のバランス

　会話のシーンを書いているとセリフばかり、設定などの説明を書いていると地の文ばかりになってしまうことはないだろうか。例えばこんな感じだ。

> ●セリフばかり
> 「おはよー。数学の課題やってきたか？」
> 「げ！ やってねぇ」
> 「お、仲間がいたよ。良かったじゃん」
> 「仲間がいたところで怒られることには変わりないだろ」
> 「お前はやってるみたいだな、写させて！」
> 「嫌だ」
> 「ケチ！」
>
> ●地の文ばかり
> 　数学担当の川内は厳しいことで有名である。課題を忘れた生徒には怒号を飛ばし、放課後残らせて追加のプリントを5枚やらせる。そのプリントを終わらせてもさらに説教をし、生徒が解放されるのはいつも18時を過ぎた頃になる。ようやく帰宅を許された生徒の顔は、げっそりとやつれていた。

　セリフのほうから見ていこう。ここでは3人の男子生徒を登場させたが、誰が誰だかちっとも分からない。そもそも3人なのか2人なのかも怪しいところだ。それに、彼らはどこで話をしているのかも分からない。会話文は書きやすい反面、説明を疎かにしてしまいやすい。合間合間にきちんと地の文でキャラクターの描写をしよう。

　次に地の文。これでは「大変そうだなぁ」としか思わないだろうし、読んでいて楽しくない。こういう時は実際に怒られて追加プリントをやらされている生徒を登場させ、苦労している姿を出すといい。

　参考にセリフばかりの例文を手直ししてみた。

> 　月曜日の朝。佐々木が昇降口で上履きに履き替えていると、クラスメイトの吉田が寄って来た。後ろには同じくクラスメイトの原が続く。
> 「佐々木、おはよー。数学の課題やってきたか？」

「げ！　やってねぇ」
　佐々木は顔を青くした。金曜日に課題を出されるといつもこれだ。土日は遊んでしまい、課題の存在など忘れてしまう。
「お、仲間がいたよ。良かったじゃん」
　吉田は原のほうを振り返りながらケラケラと笑う。一方の原は浮かない表情をしており、目も虚ろだ。
「仲間がいたところで怒られることには変わりないだろう……」
　原も佐々木と同じく課題を忘れたようだ。仲間がいると内心でほっとした佐々木だったが、原が言うように説教と追加プリントからは逃げられない。
　そこで、佐々木は余裕しゃくしゃくといった様子の吉田に手を合わせた。
「お前はやってるみたいだな」
「もちろん」
「写させて！」
　この通り！　と拝むように頼む。しかし、吉田の返答は佐々木の期待を裏切るものだった。
「嫌だ。数学は 4 時限目。休み時間使ってやるんだな」
「ケチ！」
　佐々木は思わず叫んでしまった。

　セリフだけの文章に比べるとかなり長くなったが、誰の発言なのか明確に分かるようになったかと思う。また、セリフに相手の名前を入れることで発言者を絞り、誰に向けてのものかも分かるようにした。
　誰の発言・行動なのかをはっきりさせるのには主語「○○は〜」「○○が〜」の明記も大切だ。かといって一文一文すべてにそう書くとうっとうしいし、テンポも悪くなる。書かなくても分かりそうなところは削り、バランスを取ろう。上手く書けないようならまずはすべてに主語をつけてみて、見直しの際に要らないところを削るといい。
　セリフと地の文、共に片方だけでは表現に限界がある。双方を使いこなすことで描写の幅を広げたい。練習をしたい場合は例文のように短い会話のシーンを書いてみよう。

85ページで述べた語彙力。これを意識するだけでも文章に幅が広がるだろう。しかし、他にもまだまだ気にしておきたいことがある。細かい部分ばかりになるが、気をつけるとより良い文章になる。

●文末

同じ文末表現が連続していると箇条書きのように見えてしまう。「〜〜した。〜〜た。〜〜した」といったものだ。86ページの地の文ばかりの例文を見てほしい。「〜〜る」が3回続いている。そのせいで抑揚のない文章に見えるし、より説明っぽく感じるだろう。

それを避けるためにも、同じ文末表現が続くのは原則最大2回までとしたい。86ページの例文を修正してみよう。

> 数学担当の川内は厳しいことで有名だ。課題を忘れた生徒には怒号を飛ばし、放課後残らせて追加のプリントを5枚やらせる。そのプリントを終わらせてもさらに説教をし、生徒が開放されるのはいつも18時を過ぎた頃。ようやく帰宅を許された生徒の顔は、げっそりとやつれていた。

文末をほんの少し修正しただけだが、修正前より幾分かテンポがよくなったように見えないだろうか。

しかし、読みやすさよりも優先しなくてはならない場合もある。時制だ。過去にあった出来事は「〜〜した」で表すだろう。それを「〜〜する」と書いたらこれから行うことになってしまう。矛盾を生むくらいなら、多少の説明っぽさには目を瞑らなくてはならない。その上で最上の文章表現を模索しよう。

●改行

ライトノベルと一般文芸を見比べてみると、改行の頻度に違いがある。ライトノベルは若者向けのジャンルであることから、改行を多くし読みやすくしているのだ。紙面の下半分が真っ白! なんてこともままある。

　ただ、やみくもに改行を入れればいいというわけではない。逆に改行が少なすぎると読みにくくなってしまう。ではどのタイミングで改行を入れればいいのか、いくつか目安を挙げる。

1．主体的な人物が切り替わる

　三人称で主人公の描写をした後に続いてヒロインの描写が入ったとする。このヒロインの描写の際に改行を入れるのだ。

　一人称では語る対象のものが切り替わったら改行しよう。例えば目の前の建物を見た印象を描写し、次にヒロインの様子を窺う記述をするならそこで改行だ。

　ただし、どちらも短文である場合はこの限りではない。

2．200 字を超える

　一般的な文庫だと 200 字はおおよそ 5 行分になる。これを超えるようなら、同じ話題をしていたとしても一旦区切りのいいところで改行しよう。それ以上になると文字がぎっしり詰まった印象を抱かせ、読みたくないと思う読者が出てきてしまう。

　2 について。話は逸れるが、5 行も同じ段落で地の文が続くのは少々会話とのバランスが悪くもなる。そういった場合は大体が何かの説明をしているシーンだろう。水泳の息継ぎのように途中で会話を差し込んでもいいかもしれない。

●一文の長さ

　キャラクターの外見や風景を描写する際に、多くの修飾語を使って詳しくしようとするだろう。しかし、そのせいで一文が長くなってしまい、読みにくくなることがある。

　一文は目安として 25 ～ 40 字くらいに収めよう。すべてそうするのではなく、時折とても短い文などを入れてメリハリをつけたい。また、適宜読点を入れて読みやすさを意識することも大事だ。

　どうしても長くなってしまう場合は、読点を打ったところを見直してみよう。少しいじればそこで句点を打つことができるかもしれない。

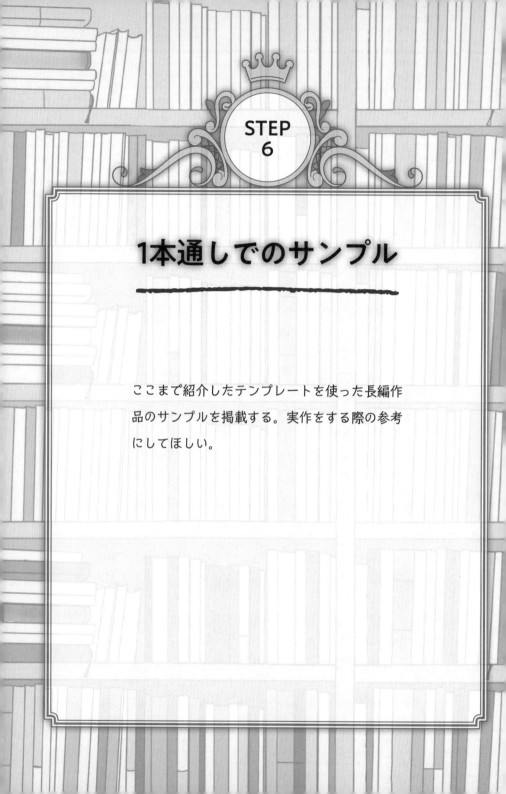

STEP
6

1本通しでのサンプル

ここまで紹介したテンプレートを使った長編作品のサンプルを掲載する。実作をする際の参考にしてほしい。

01 サンプル　プロットシート

まずは作品に入れ込みたい要素をいくつも書き出してみる。この時点ではあまり具体的に考えられなくても、なんとなく使ってみたい単語や登場させたいアイテムなどでも構わない。

反逆	敵対	群れ
逃亡	キメラ	閉鎖空間
復讐	野生	山
裏切り	王	血

STEP.1で出したアイディアを、それぞれストーリーとキャラクター、世界観に分類してみる。また付け加えたい要素があれば、それも追加してみる。

ストーリー	反逆	逃亡	復讐	裏切り
キャラクター	キメラ	野生	王	敵対
世界観	閉鎖空間	山	群れ	血

STEP.2 で分類したアイディアをもとに、簡単なストーリー・キャラクター・世界観を作る（箇条書きでも OK）。

ストーリー	故郷を獣人の群れに襲われ復讐を望む主人公が、群れの一員でありながら人間を守りたいと願う獣人と衝突しながらも徐々に結託して強大な敵に立ち向かう。
キャラクター	主人公：狩猟で生計を立てる少年。若いが将来を嘱望される弓の名手。直情型で融通が利かない。 ヒロイン：獣人と人間のハーフ。獣人からは見下されているが、潜在能力は高く王に次ぐ戦闘能力を誇る。
世界観	プライドと呼ばれる群れを形成した獣人が存在するファンタジー世界。獣人は人間を捕食目的で襲うことがあるため、国は危険視している。獣人のほとんどは知能が低く、人間によって駆除されるが、知能と戦闘能力が極めて高い個体『王』のプライドは統制が取れており、国軍を以てしても壊滅には至っていない。

STEP **4**

作品に入れ込みたい事件やエピソード、シーンを書き出す。
時系列は気にしなくてよい。

サンプル

・山の奥で傷ついたヒロインを見つけ、手当てする主人公。

・獣人たちからバカにされているヒロイン。

・主人公、災いを招いたヒロインに怒りをぶつける。

・迫る戦火から主人公を逃がすヒロイン。

・ヒロインへの気持ちの変化に戸惑う主人公。

・戦いに備え、長い髪を切る主人公。

・王と対峙するヒロイン。

・暴走するヒロインを主人公が抱きしめる。

STEP **5**

STEP.3・4を踏まえ、この作品で最も書きたいと思って
いること、読者に作品を通して伝えたいこと（テーマ）を書
こう。

この作品で最も書きたいこと（シーンやセリフなど）
徐々に互いを理解していく主人公とヒロイン
読者に作品を通して伝えたいこと（テーマ）
憎しみに囚われると大切なものを見逃してしまう

STEP 6

読者対象、読者が共感できるポイント、作品の一番魅力的な部分を挙げていく。

読者対象	中高生　男性
読者が共感できるポイント	故郷を滅ぼされた主人公が復讐のため奮闘するところ
この作品の一番魅力的な部分	主人公とヒロインがそれぞれの檻から抜け出していく

STEP 7

STEP.3 で組み上げたストーリーとキャラクター、世界観、STEP.4 で挙げたエピソードやシーンをもとに、簡単な起承転結を作ってみる。

起	主人公の故郷、襲来した獣人のプライドによって滅ぼされる。
承	ヒロインの反逆に乗じて逃亡する主人公。
転	軍人となって修練を積み、プライド壊滅作戦に参加する。
結	ヒロインを救い、共に生きていくことを約束する。

STEP
8

STEP.7で作った起承転結をもとに、さらに細かいストーリーを考えて、プロットを完成させる。タイトルもつけよう。

タイトル	檻の中の獣たち
ストーリー	人間を捕食する危険な獣人の群れ『プライド』が脅威とされている異国。山間の小さな村で生まれ育った少年ルウは、ある日山奥で傷ついた獣人を見つけ、連れ帰って手当てをする。エーゼルと名乗った獣人は、村に危機が迫っていることを告げるが、ルウがそれを周囲に伝えるよりも早く、クローネという王が率いるプライドが村を襲撃。村人のほとんどが殺され、生き残った村人も食糧としてプライドの監視下に置かれてしまう。 クローネがプライドの一員であるエーゼルを追って村に来たことを知ったルウは、村に災いを招いたエーゼルと、彼女を助けた自分に憤りをぶつける。エーゼルはルウの怒りを受け止めた上で、クローネを倒しプライドを壊滅させる手助けをしてほしいと申し出る。獣人と人間のハーフであり、12歳まで人間として育ったエーゼルには、人間を守りたいという想いがあったのだ。エーゼルへの憎悪が捨てられず答えが出せないルウを見て、エーゼルは助力を得ることを諦め、1人で反旗を翻しルウを無理やり村の外へ逃がす。 生き延びたルウは国軍に保護されるも、エーゼルのことが気になり彼女も村民だと嘘をつき捜索してもらう。やがて重傷を負ったエーゼルが保護されるも、プライドにダメージは与えられなかった。国の最大戦力である軍隊の力を借りなければクローネは倒せないと考え、ルウは正体を偽ったエーゼルと共に国軍に入る。共に修練を積む中で、エーゼルが刺し違えてでもクローネの襲撃を止めようとしていることを知り、ルウはいつしかエーゼルに生きてほしいと思うようになっていく。 半年後、国軍がクローネのプライドを捕捉し戦闘になる。エーゼルと共に出撃したルウは激戦の末クローネを倒すが、エーゼルの素性が軍に知られ討伐対象とされてしまう。軍の攻撃を受けボロボロになったエーゼルと命からがら逃げ出したルウは、追手を避けながら故郷を目指す。やがてたどり着いた故郷の地で、2人は共に生きていくことを約束した。

01-1
サンプル【主人公】 キャラクターシート

名前	ルウ		年齢・性別	15歳・男
国籍・種族	ペルケイラ・人間	身分		狩人
誕生日	5月15日	一人称		俺
家族構成	母、姉			

外見の特徴

身長	160cm	体重・体型	48kg、筋肉はあるが小柄
髪型	セミロングの赤髪をポニーテールにしている		
服装	動きやすさ優先の質素な服		

その他の特徴（肌色、傷痕など）

自分の背丈とあまり変わらない大弓を背負っている

内面の特徴

おおまかな性格 （当てはまるものを囲む）	ⓜ明るい 内気 積極的 消極的 慎重 粗野 冷血 優しい 素直 天邪鬼 冷静 人見知り ⓜ熱血 見栄っ張り わがまま 世話好き 惚れっぽい ⓜ頑固 快楽的 犠牲的 傲慢 勤勉 寂しがり 穏やか 臆病 一途 盲目的
詳しい性格	直情型で思ったことをすぐ言葉にしたり 行動に移してしまったりする。 世話好きな面があり、つい他人の面倒を見てしまいがち

長所	一度目標を決めると決して諦めない
短所	一旦思い込むとなかなか考えを改められない
好きなもの	山、弓、故郷の村、村に住む人々
嫌いなもの	勉強
苦手なもの	縁談
憧れ	母のような弓使いになること
座右の銘	継続は力なり

特別な過去	なし
現在の悩み・葛藤	恋をしたことがないのに縁談を勧められる
その他特記事項	なし

メインキャラクターたちの呼び方		
キャラクター名		呼び方
エーゼル	→	シューラ
クローネ	→	クローネ
	→	
	→	
	→	

01-2 サンプル【ヒロイン】 キャラクターシート

名前	エーゼル（シューラ）	年齢・性別	18歳・女
国籍・種族	ペルケイラ・獣人	身分	王女
誕生日	4月13日	一人称	私
家族構成	父		

外見の特徴

身長	169cm	体重・体型	53kg、女性にしては筋肉質
髪型	黒髪くせ毛、腰の辺りまであるロングヘア		
服装	ポンチョのような黒い布の上からファーをまとっている		

その他の特徴（肌色、傷痕など）

人間の血を摂取することで一時的に四足歩行の獣の姿になれる。
普段は人間と同じ姿で見分けがつかない

内面の特徴

おおまかな性格 （当てはまるものを囲む）	明るい　内気　積極的　消極的　⟨慎重⟩　粗野　冷血　優しい 素直　天邪鬼　⟨冷静⟩人見知り　熱血　見栄っ張り　わがまま 世話好き　惚れっぽい　頑固　快楽的　⟨犠牲的⟩傲慢　勤勉 寂しがり　穏やか　臆病　一途　盲目的
詳しい性格	自己犠牲精神が強く、 個人的な主張や希望は飲み込んでしまいがち

長所	とっさの判断力に優れ、迷わない
短所	何でも1人で解決しようとする
好きなもの	プライドから離れられる時間
嫌いなもの	獣人全般
苦手なもの	敵意を向けてくる人間
憧れ	人間として生きていくこと
座右の銘	我が成すことは我のみぞ知る

特別な過去	クローネと人間から生まれ、 12歳まで人間として育った
現在の悩み・葛藤	クローネを倒したいが、自分1人では歯が立たない
その他特記事項	エーゼルはクローネからつけられた蔑称で、 本名はシューラ

メインキャラクターたちの呼び方		
キャラクター名		呼び方
ルウ	→	ルウ
クローネ	→	クローネ
	→	
	→	
	→	

サ
ン
プ
ル

01-3 サンプル【敵】 キャラクターシート

名前	クローネ		年齢・性別	55歳・男
国籍・種族	ペルケイラ・獣人	身分	王	
誕生日	11月26日	一人称	我	
家族構成	娘			

外見の特徴

身長	210cm	体重・体型	140kg・筋肉質
髪型	金色の混じる黒色の毛皮に全身を覆われている		
服装	なし（常に獣の姿なので衣服は着ていない）		

その他の特徴（肌色、傷痕など）

人型にもなれるが戦闘力が劣るので常に獣の姿をしている

内面の特徴

おおまかな性格 （当てはまるものを囲む）	明るい　内気　積極的　消極的　慎重　粗野　(冷血)　優しい (素直)　天邪鬼　冷静　人見知り　熱血　見栄っ張り　わがまま 世話好き　惚れっぽい　頑固　(快楽的)　犠牲的　傲慢　勤勉 寂しがり　穏やか　臆病　一途　盲目的
詳しい性格	物事のすべてを楽しいか、楽しくないかで判断しており、娘が歯向かってくることすら楽しんでいる

長所	獣人の中ではトップクラスの頭脳と戦闘力を持つ
短所	自己中心的で暴君気質
好きなもの	退屈を紛らわせてくれるもの
嫌いなもの	退屈
苦手なもの	なし（苦手という概念がない）
憧れ	なし
座右の銘	唯我独尊

特別な過去	獣人と人間が交わるとどうなるかという興味から エーゼルの母を娶った
現在の悩み・葛藤	なし
その他特記事項	なし

メインキャラクターたちの呼び方		
キャラクター名		呼び方
ルウ	→	呼ばない（名前を知らない）
エーゼル	→	エーゼル
	→	
	→	
	→	

サンプル

101

01 サンプル【ファンタジー】 世界設定シート

ベース	ドイツ	時代	近代
ファンタジック要素など特殊設定	プライドという群れを形成した獣人が存在する		

国（星）の設定			
国名	ペルケイラ	首都	ノルドハイム
地形・地理	内陸、肥沃な土壌が広がっており、森林も多い		
人口・住んでいる種族		400万人程度・人間、獣人	
四季の有無・天候		有・温帯気候	
政治（王政、民主主義 etc.）		民主主義。対獣人の軍隊を所有	
交通手段	徒歩、馬車		
信仰	なし		
文化・国民性	自国が優れた技術を持っているという自負があり、やや排他的		
秀でた技術・産業	医学、薬学、化学とそれにまつわる産業		
他国との関係	内陸国のため、海に面する国とは積極的に貿易をしている		
過去の大きな出来事	国の治安や環境の良さに目を付けられ、獣人が住みついた		
抱えている問題	獣人との関係性。現在は殺し殺される関係で共存が難しい		
その他の特色	政府が獣人と戦うために開発した秘薬があるが、国民には知らされていない		

サンプル

地域・町の設定			
地名	ベスティエ	国のどこにあるか	西の山間部
地形・地理	周囲を木々で囲まれており、村民でなければ森を抜けられない		
人口・住んでいる種族	100 人程度・人間		
四季の有無・天候	有・雨が降りやすい		
政治（誰が治めているか）	トップは村長だが、完全民主主義		
交通手段	徒歩（馬はいるが、足場が悪いので使えない）		
信仰	なし		
地域性	血縁関係の有無にかかわらず村民は助け合っている		
秀でた技術・産業	狩猟、畜産		
他地域との関係	商売などを目的に首都へ出る村民はいるが、他地域から入ってくることはない		
過去の大きな出来事	ベスティエ出身者が国軍に入り、司令官に就任した		
抱えている問題	村民の高齢化と過疎化		
その他の特色	男性は狩猟、女性は畜産を担うことで生活を成り立たせているが、例外もある		

場所一覧シート

場所の名前	ベスティエ
説明	国の西の山間部にある小さな村。

他の場所との位置関係・距離

場所	位置関係・距離
ノルドハイム	徒歩5日程度
ノルドルング	徒歩6日程度
迷いの森	徒歩10分程度

場所の名前	ノルドルング
説明	首都に隣接するベッドタウン。

他の場所との位置関係・距離

場所	位置関係・距離
ベスティエ	徒歩6日程度。ただし迷いの森を抜けられないとそれ以上かかる
ノルドハイム	馬車で2時間程度
迷いの森	徒歩6日程度

場所の名前	ノルドハイム	
説明	国の首都。国軍の本部があるため治安が良い。	
他の場所との位置関係・距離		
場所	位置関係・距離	
ベスティエ	徒歩5日程度。ただし迷いの森を抜けられないとそれ以上かかる	
ノルドルング	馬車で2時間程度	
迷いの森	徒歩5日程度	

場所の名前	迷いの森	
説明	ベスティエを囲む広大な森。道が非常に複雑。	
他の場所との位置関係・距離		
場所	位置関係・距離	
ベスティエ	徒歩10分程度	
ノルドハイム	徒歩5日程度	
ノルドルング	徒歩6日程度	

01 サンプル 時系列シート

現在／過去	西暦	月日	時間	関わるキャラクター
過去	新暦896年	12月1日	20時	クローネ エーゼルの母
	新暦898年	4月13日	4時	エーゼル エーゼルの母
	新暦910年	8月10日	23時	クローネ エーゼル
現在	新暦916年	10月8日	11時	ルウ、ルウの母 エーゼル
		10月18日	13時	クローネ、ルウ エーゼル
		11月7日	23時	クローネ、ルウ エーゼル
		11月8日	16時	ルウ
		11月20日	22時	エーゼル
		12月6日	8時	ルウ、エーゼル
	新暦917年	5月11日	20時	ルウ、エーゼル クローネ
		5月12日	0時	クローネ

サンプル

何があったか	場所	シーン No.
クローネ、襲撃した村の女を娶る。	小さな村	
エーゼル誕生。	小さな村	
母の死によって エーゼル、クローネのプライドに加入。	小さな村	23
ルウが傷ついたエーゼルを 発見し、保護する。	迷いの森	3
クローネ率いるプライドが ベスティエの村を襲撃する。	ベスティエ	6
エーゼルが賛同者と共に 反乱を起こし、村民が逃亡。	ベスティエ	12
ルウが巡回中だった軍に保護される。	ノルドハイム	15
エーゼルが軍に保護される。	ノルドハイム	17
ルウとエーゼルが軍候補生になる。	ノルドハイム	20
クローネのプライドと国軍が戦闘。	ノルドハイム	31
クローネの討伐を確認。	ノルドハイム	35

01 サンプル 50 シーン分けシート

No.	場所	日時	何のシーン	主人公
1	ベスティエ	11月1日 18時	ルウがエーゼルへ 憎しみと復讐の意志を伝える。	エーゼルへの憎しみ で頭がいっぱい。
2	ベスティエ	10月8日 9時	ルウが村民たちと 世間話をする。	村の人気者で 可愛がられている。
3	迷いの森	10月8日 11時	母と共に狩猟に 出かけるルウ、傷ついた 獣人を発見する。	獣人と気付かず 助ける。
4	自宅	10月8日 18時	家族で獣人の看病をする。	獣人を看病。
5	自宅	10月18日 12時	獣人・エーゼルが 目覚め、忠告をする。	危機について聞くも 戸惑っている。
6	ベスティエ	10月18日 13時	クローネ率いるプライドが ベスティエを襲撃する。	クローネと対峙する も歯が立たず。
7	ベスティエ	10月18日 17時	生き残った村民が プライドによって管理される。	食糧の1人として 管理される。
8	ベスティエ	11月2日 19時	姉を襲った獣人に反抗し、 ルウが痛めつけられる。	獣人との力の差を 思い知らされる。
9	ベスティエ	11月2日 21時	様子を見に来たエーゼルを ルウが追い払う。	悔し泣きしている 場面をエーゼルに 見られて気まずい。
10	ベスティエ	11月2日 22時	エーゼルが目的を明かし ルウに協力を求める。	まだエーゼルを 信じられないでいる。
11	ベスティエ	11月3日 14時	エーゼルから聞いた話について 姉と相談する。	エーゼルに協力 すべきではという 思いが芽生えている。

ヒロイン	友人	敵	その他
ルウからの憎しみはすべて受け入れるべきと思っている。			
	姉：ルウと並び村の人気者。		姉弟に縁談の話がくるが、どちらもかわし続けている。
重傷を負い気を失っている。	母：獣人と気付かず助ける。		人間と見分けがつかない姿だったため、2人は獣人と気付かず助けた。
昏睡状態。	母、姉：ルウと共に看病。		他の村民たちも時おり様子を見に来る。
村に迫る危機をルウに伝える。			
駆け付けようとするも傷が開く。	母：ルウを庇って命を落とす。	クローネ：エーゼルの血の匂いで場所を特定。	村民の2/3が殺害される。
クローネによってプライドに連れ戻される。	姉：食糧の1人として管理される。	エーゼルをプライドに連れ戻す。	
ルウを庇い獣人に制裁を加える。	姉：ルウのおかげで無傷。		
力の差を理解しても反抗心を失わないルウに感心する。	姉：怪我をしたルウを心配している。		
クローネを倒すという目的を明かす。		エーゼルの敵意を理解してなお好きにさせている。	
ルウを巻き込むべきではないと考えを改める。	姉：エーゼルを放って逃げるべきと主張。		ごく少数ながらエーゼルに賛同する獣人もいる。

No.	場所	日時	何のシーン	主人公
12	ベスティエ	11月7日 23時	エーゼルが賛同者と共に 反乱を起こす。	姉を連れて逃げる。
13	迷いの森	11月8日 0時	逃げ遅れた村民を助けるため 村の近くに残って戦うルウ。	追ってきた 獣人と戦闘。
14	迷いの森	11月8日 1時	覚醒したエーゼルによって 逃げるための隙が生まれる。	エーゼルに無理やり 逃がされる。
15	軍病院	11月8日 16時	巡回中だった軍に保護され、 軍病院で目覚めるルウと姉。	状況を把握する。
16	軍病院	11月8日 17時	エーゼルが村民だと嘘をつき 捜索してもらうよう依頼。	エーゼルの安否が 気になっている。
17	軍病院	11月20日 22時	瀕死のエーゼルが発見され 運ばれてくる。	エーゼルが 生きていたことに 安堵し、戸惑う。
18	軍病院	11月23日 18時	目覚めたエーゼルとルウが 口論する。	重傷のエーゼルを 押し留め叱責する。
19	軍病院	11月23日 20時	エーゼルと親しくすることを 姉から批難されるルウ。	エーゼルへの憎悪が 薄れていることに 気付き戸惑う。
20	軍病院	12月6日 8時	エーゼルを説き伏せ 軍と結託してクローネを 倒すことを提案。	エーゼルが勝手に 出ていかないよう 釘を刺す。
21	寮の中庭	12月12日 21時	エーゼルは過去について ルウに話をする。	
22	小さな村	15年前	幼いエーゼル、優しい母と 幸せな幼少期を過ごしている。	
23	小さな村	6年前	クローネに隠れ場所が見つかり、 母が殺害され、エーゼルは プライドに加入させられる。	
24	山	6年前	クローネによって人間の血肉を 摂取させられ、エーゼルの 能力が覚醒。	

ヒロイン	友人	敵	その他
クローネと戦闘。	姉：ルウに連れられ逃げる。	エーゼルと戦闘。	生き残った他の村民も逃亡を試みた。
ルウが戦っていることに気付き、救援に向かう。	姉：ルウの邪魔にならないよう避難。	エーゼルの行動を観察している。	ほとんどの村民が逃げきれず殺害される。
ルウの血を摂取し獣の本能が目覚める。	姉：ルウを追う。		ルウと姉はエーゼルによって崖から落とされ戻れなくなる。
	姉：状況を把握する。		２人が目覚めた時点でベスティエでの戦闘は終わっている。
	姉：なぜルウがエーゼルを気にするのか理解できない。		軍は獣人の情報を収集するため村民を保護している。
昏睡状態。	姉：ルウに乞われエーゼルの正体について口をつぐむ。		エーゼルは人間の姿に戻っており、ここでも獣人と気付かれない。
再びクローネを倒しに行こうとする。			
ルウに心配され戸惑っている。	姉：これ以上ルウとエーゼルが関わってほしくない。		
ルウの提案を受け入れる。			ルウとエーゼルは軍候補生として訓練を始める。
父親がいないことはあまり気にしていない。	エーゼルの母：クローネから隠れてひっそり暮らしている。	エーゼルを捜している。	獣の本性が現れないようエーゼルは人間として育てられた。
母の血を見て初めて獣としての能力が開花するも、不完全。		エーゼルの潜在能力に気付き、プライドに加入させる。	
人間を殺した罪悪感に苦しむ。		楽しませてくれそうな好敵手の出現を喜んでいる。	他の獣人はエーゼルの能力を知らずにいる。

サンプル

111

No.	場所	日時	何のシーン	主人公
25	寮の中庭	12月12日 22時	エーゼルの過去を知り、受け入れるルウ。	エーゼルの持つ自己犠牲精神の理由を理解する。
26	軍病院	12月25日 18時	訓練で怪我をしたルウの血を見たエーゼル、様子がおかしくなる。	エーゼルの変化を察し、受け入れようとする。
27	軍病院	12月25日 19時	人目につかない場所で獣としての自分をさらすエーゼルと受け入れるルウ。	エーゼルを愛することで人の心を繋ぎ止めようとする。
28	軍病院	12月25日 23時	復讐心を捨てられない姉との仲がギクシャクするルウ。	姉にも復讐心を捨て自由に生きてほしいと願っている。
29	寮の中庭	5月11日 18時	将来について話すルウとエーゼル。	エーゼルが人として生きられる場所へ行こうと誘う。
30	ノルドハイム	5月11日 19時	軍の斥候がクローネのプライドを捕捉し、ルウとエーゼルも出撃する。	エーゼルと共に出撃。
31	ノルドハイム	5月11日 20時	街で暴れていた獣人と戦闘。	エーゼルと協力し獣人を撃破。
32	ノルドハイム	5月11日 21時	クローネの元にたどり着く。	エーゼルと協力し立ち向かう。
33	ノルドハイム	5月11日 22時	クローネの攻撃でルウが窮地に立たされる。	クローネの攻撃で重傷を負う。
34	ノルドハイム	5月11日 23時	ルウの血を摂取し獣となったエーゼルがクローネと戦う。	助けに行きたいが怪我が酷く動けない。
35	ノルドハイム	5月12日 0時	クローネを倒すも、理性を失ったエーゼルは人間を襲い始める。	エーゼルを止めようとして殺されかける。
36	ノルドハイム	5月12日 1時	殺される覚悟で軍の攻撃からエーゼルを庇うルウ。	立っているのもやっとの状態。
37	ノルドハイム	5月12日 2時	エーゼルが動けないルウを連れてその場から逃走。	エーゼルにされるがまま。

ヒロイン	友人	敵	その他
受け入れてくれたルウを特別視している。			エーゼルはルウに本名を伝える。
獣の本性が現れそうになる。			エーゼルは血を摂取するたび、心が獣に近付いていると自覚。
ルウを愛することで人の心を保とうとする。			
	姉：なんとかルウとエーゼルを引き離そうと画策。		姉は復讐相手として以上に愛する弟を奪ったエーゼルを憎む。
ルウと共に人として生きたいと望む。			エーゼルは獣の力を使わないことをルウと約束する。
ルウと共に出撃。	姉：衛生兵として２人の後を追う。		
人間の姿のまま獣人を撃破。		先兵をすでに壊滅させている。	エーゼルは軍の装備を得たことで以前より戦闘力が上がっている。
ルウと協力し立ち向かう。		ルウ、エーゼルと戦闘。	駐在軍はかなりダメージを受けており劣勢に立っている。
ルウの血を見て理性が薄れる。		エーゼルを覚醒させるため、ルウを執拗に狙う。	
約束よりルウの命を守ることを優先。	姉：ルウの応急処置。	エーゼルの類を見ない強さに歓喜。	獣人同士の戦いに軍は混乱。
理性を失い暴走。	姉：軍の指揮官にエーゼルへの攻撃を勧める。		姉はエーゼルを抹殺するため、軍の指揮官と裏で通じていた。
ルウの呼びかけに理性を取り戻す。	姉：ルウを必死に庇う。		獣人に味方するルウもろともエーゼルの射殺を思案。
意識が混濁しておりほぼ無意識の行動。			

No.	場所	日時	何のシーン	主人公
38	ベスティエ	5月12日 5時	何もなくなった故郷を見て倒れるルウと、寄り添うエーゼル。	力尽きる。
39	不明	不明	人の姿に戻ったエーゼルと再会し、無事を喜ぶルウ。	再会を喜ぶ。
40	不明	不明	エーゼルが人として生きられる場所を求め、2人は旅に出る。	
41	ベスティエ	5月19日 10時	ルウとエーゼルを追った兵士、姿を見つけられず戸惑う。	
42				
43				
44				
45				
46				
47				
48				
49				
50				

ヒロイン	友人	敵	その他
力尽きる。			
再会を喜ぶ。			2人には夢か現実かの区別がついていない。
			村には2人がいた痕跡だけが残されていた。

サンプル

コラム：設定はどこまで考えるか

　キャラクターと世界設定について、本書ではテンプレートシート1枚分の項目を掲載させていただいた。しかし、掲載した以外のことを考えてももちろん良い。設定に深みが増すだろう。

　キャラクター設定なら「趣味」「特技」「価値観」「1日をどのように過ごすか」「気は長いか短いか」「どんなものを持ち歩いているか」、世界設定なら「世界・国の歴史」「技術をもっと深堀り（インフラがどこまで整っているか、医療体制など）」「教育はどこまで行き届いているか（識字率や学校の普及など）」「衣食住はどうなっているか」などといった具合だ。考えようと思えばいくらでも項目は出てくる。

　ただ、設定を考えることばかりに時間を割くのもあまりよくない。肝心の執筆に進めないし、設定を考えた達成感で満足してしまい、その後のやる気が削がれる可能性がある。また、考えた設定を原稿にすべて入れ込もうとして無駄な描写が増える恐れもある。

　どこまで考えればいいかの明確なラインはないが、執筆において困らない程度を最低とし、それ以上は時間を区切って考えるといいだろう。

02 サンプル **プロットシート**

STEP 1

まずは作品に入れ込みたい要素をいくつも書き出してみる。この時点ではあまり具体的に考えられなくても、なんとなく使ってみたい単語や登場させたいアイテムなどでも構わない。

魔法	動物	師弟
失敗	鏡	試験
旅	成り上がり	大道芸
冒険	杖	活発

STEP 2

STEP.1で出したアイディアを、それぞれストーリーとキャラクター、世界観に分類してみる。また付け加えたい要素があれば、それも追加してみる。

ストーリー	失敗　　　　旅　　　　冒険　　　鏡 成り上がり　　杖　　　試験　　　大道芸			
キャラクター	動物　　　師弟　　　　活発			
世界観	魔法			

STEP.2で分類したアイディアをもとに、簡単なストーリー・キャラクター・世界観を作る（箇条書きでもOK）。

ストーリー	魔法使い見習いの主人公が、うっかり師匠を変身させてしまう。解除方法が分からなかったため、元に戻す方法を求めて師匠と共に旅に出る。
キャラクター	**主人公**：おっちょこちょいで世間知らず。物心がついた頃から街はずれの塔に独りぼっちで暮らしていた。魔法のセンスが天才的で、感覚的に使うことができる。 **師匠**：歴代最年少の魔法使い。餓死寸前だった主人公を救った流れで面倒を見ることになる。主人公に誤って変身魔法をかけられ、動物の姿にされたせいで魔法が使えなくなってしまう。
世界観	魔法が日常的に存在するファンタジー世界。ただし、本来魔法は仕組みを理解し修練を積まなければ使えない。魔法使いになるためには学費が高い魔法学校に通わなければならず、必然的に魔法使いは貴族などの富裕層が多い。年に一度、王の前で魔法の腕前を競い合う御前試合が開催され、優勝するとどんな魔法でも一度だけ使うことができる叡智の杖を授けられる。

STEP 4　作品に入れ込みたい事件やエピソード、シーンを書き出す。時系列は気にしなくてよい。

・勉強が嫌で逃げ出す主人公と、捕まえてお仕置きする師匠。

・動物になったことで自慢の魔法が一切使えなくなり絶望する師匠。

・路銀を稼ぐため、大道芸を披露する師匠と、ノリノリの主人公。

・魔法を独占して貧民を虐げる貴族に、主人公が制裁を加える。

・叡智の杖を求める人々にも事情があると知り、悩む主人公。

・幼少期の主人公、閉ざされた塔の中、寂しくて泣く。

・師匠がどんどん動物に近づいていることを知り、焦る主人公。

・ただの動物になっても、人間だった頃の名残で本能的に主人公を守ろうとする師匠。

STEP 5　STEP.3・4を踏まえ、この作品で最も書きたいと思っていること、読者に作品を通して伝えたいこと（テーマ）を書こう。

この作品で最も書きたいこと（シーンやセリフなど）
動物と一緒に旅をする女の子

読者に作品を通して伝えたいこと（テーマ）
姿が変わっても大切な人であることに違いはない

STEP **6**　　読者対象、読者が共感できるポイント、作品の一番魅力的な部分を挙げていく。

サンプル

読者対象	10 ～ 12 歳　女性
読者が共感できる ポイント	失敗を取り戻すために主人公が努力するところ
この作品の 一番魅力的な部分	師弟の絆

STEP **7**　　STEP.3 で組み上げたストーリーとキャラクター、世界観、STEP.4 で挙げたエピソードやシーンをもとに、簡単な起承転結を作ってみる。

起	主人公、動物になってしまった師匠を元に戻す方法を探して旅に出る。
承	御前試合の優勝者に与えられる杖を使い、師匠を元に戻そうと考える。
転	試合中、賊の乱入によって街がパニックに陥る。主人公は試合を放棄して人々を守ることを選ぶ。
結	主人公の働きを見ていた王は、特別に主人公に杖を授け、師匠は人間の姿に戻ることができたのだった。

STEP.7 で作った起承転結をもとに、さらに細かいストーリーを考えて、プロットを完成させる。タイトルもつけよう。

タイトル	イノリの獅子
ストーリー	孤児の少女イノリは、旅の魔法使いシモンに魔法の才能を見出されて以降、彼の弟子として修業の日々を送っていた。しかし、誤ってシモンに変身魔法を使ってしまい、シモンはライオンの姿のまま元に戻れなくなってしまう。解除方法が分からず、イノリはシモンを元に戻すため彼と旅に出ることにした。 　シモンと共に路銀を稼ぎながら旅を続けるイノリは、シモンの友人セドリックを訪ねる。セドリックから、王の前で魔法使いたちが腕前を競い合う御前試合が近々開催されることを聞く。その試合で優勝すると、賞品としてどんな魔法でも一度だけ使える叡智の杖が下賜されるという。イノリはこの杖でシモンを元に戻そうと考える。 　御前試合に向けて修行を続けるイノリだが、世間では貴族が魔法使いとしての権利を独占し貧民を虐げていることを知る。シモンが旅をしていたのも、もともとは貧富にかかわらずすべての人が魔法を使える世の中にするためだった。イノリはその思いに同意し、貴族ではない自分が御前試合で優勝することでその足掛かりとなれるのではないかといっそう修行に励む。やがて御前試合が始まり、イノリは順調に勝ち上がるが、決勝でセドリックが立ちはだかる。セドリックは飼い猫・リュイを人質に取られ、王の暗殺を目論む賊の侵入を手引きしていた。試合を放棄し、シモンと協力して民を守る。混乱に乗じてリュイを取り戻したセドリックも賊を撃退した。 　決勝戦は無効となったが、イノリの働きを見ていた王は特例として望みをひとつ叶えると言う。悩んだ末、イノリは魔法学校を無償化し、貧民も魔法を勉強できる世界にするよう王に頼んだ。王はその望みを聞き届けると共に、叡智の杖をイノリに授けた。王はイノリが杖を与える相手として相応しいかどうか試すため望みを聞いたのだ。叡智の杖は鏡となり、シモンとリュイの姿を映すと2人は人間の姿になった。イノリは、人間に戻ったシモンと共に見聞を広めるため旅を続ける。

02-1
サンプル【主人公】 キャラクターシート

名前	イノリ		年齢・性別	12歳・女
国籍・種族	フェリス王国・人間	身分		孤児
誕生日	不明	一人称		わたし
家族構成	なし			

外見の特徴		
身長	141cm	体重・体型
髪型	黒髪ロングを左右でおさげにしている	
服装	黒いワンピースの上に赤い継ぎ接ぎのマントを羽織っている	

身長 141cm 体重・体型 47kg・ややぽっちゃり

その他の特徴（肌色、傷痕など）

同年代に比べるとかなり小柄。
少々ぽっちゃりしているが動きは俊敏で
特に食べ物が絡むと身体能力が跳ね上がる

内面の特徴

おおまかな性格 （当てはまるものを囲む）	明るい　内気　積極的　消極的　慎重　粗野　冷血　優しい 素直　天邪鬼　冷静　人見知り　熱血　見栄っ張り　わがまま 世話好き　惚れっぽい　頑固　快楽的　犠牲的　傲慢　勤勉 寂しがり　穏やか　臆病　一途　盲目的
詳しい性格	年相応にわがままで自由奔放だが正義感もあり、 他人のために頑張ることができる。 幼少期、孤独に苦しんだ経験から親しい相手には依存しがち。

長所	明るく前向きで暗い過去を感じさせない
短所	怠け癖があり、嫌なことからはつい逃げがち
好きなもの	食べ物全般、特に甘いもの
嫌いなもの	運動と勉強
苦手なもの	シモンの説教
憧れ	シモンのような魔法使い
座右の銘	為せば成る、為さねば成らぬ何事も

サンプル

特別な過去	かつて魔法で人（山賊）を殺しかけたことがある
現在の悩み・葛藤	立派な魔法使いになりたいが、 日々の勉強が嫌でたまらない
その他特記事項	自覚はないがトップクラスの魔法の才能を持っている

メインキャラクターたちの呼び方		
キャラクター名		呼び方
シモン	→	シモン、師匠
セドリック	→	セドリックさん
	→	
	→	
	→	

02-2 サンプル【ヒロイン(男)】 キャラクターシート

名前	シモン・ノルドストレーム	年齢・性別	15 歳・男
国籍・種族	フェリス王国・人間	身分	国家魔法使い
誕生日	4 月 28 日	一人称	俺
家族構成	養父、養母（実家には実父、実母がいる）		

外見の特徴

身長	166cm	体重・体型	54kg・中肉中背
髪型	金髪のショートカット、髪は耳に掛けている		
服装	白いシャツの上に群青色のマントを羽織り、国家魔法使いのバッジをつけている		

その他の特徴（肌色、傷痕など）

肌が白く顔立ちも中性的なので遠目だと少女に見える。
本人は男らしい容姿に憧れている

内面の特徴

おおまかな性格 （当てはまるものを囲む）	明るい　内気　積極的　消極的　慎重　⟨粗野⟩　冷血　優しい 素直　天邪鬼　⟨冷静⟩　人見知り　熱血　見栄っ張り　わがまま 世話好き　惚れっぽい　頑固　快楽的　犠牲的　傲慢　⟨勤勉⟩ 寂しがり　穏やか　臆病　一途　盲目的
詳しい性格	魔法の才能がさほどあるわけではなかったが 血のにじむような努力をして国家魔法使いとなった。 国家魔法使いとしてのプライドが高く努力しない者には厳しい。

長所	理想が高く研鑽を怠らない
短所	自分の理想を他人にも押し付けてしまう
好きなもの	勉強、努力、読書
嫌いなもの	何もしない時間
苦手なもの	魔法で解決できないこと（人間関係のこじれなど）
憧れ	魔法の力で世界をより良くすること
座右の銘	天才とは努力する凡才のことである

サンプル

特別な過去	魔法学校の学費のため、裕福な商家の養子になった
現在の悩み・葛藤	イノリの強すぎる魔法が彼女の身を滅ぼすのではないかと懸念している
その他特記事項	イノリの魔法によってライオンの姿になってしまう

メインキャラクターたちの呼び方		
キャラクター名		**呼び方**
イノリ	→	イノリ、コブタちゃん
セドリック	→	セディー
	→	
	→	
	→	

02-3　サンプル【ライバル】　キャラクターシート

名前	セドリック・アシュバートン		年齢・性別	22歳・男
国籍・種族	フェリス王国・人間	身分	貴族	
誕生日	1月31日	一人称	僕	
家族構成	父、母、兄			

外見の特徴

身長	178cm	体重・体型	63kg・痩せ型
髪型	灰褐色の髪を肩の辺りまで伸ばしている		
服装	全身黒のマント、質素な身なりで到底貴族には見えない		

その他の特徴（肌色、傷痕など）

貴族でありながら貴族を毛嫌いしているため
服装は安価なものを好んでいる。
大きな帽子で顔を隠している

内面の特徴

おおまかな性格 （当てはまるものを囲む）	明るい　内気　積極的　消極的　⦿慎重⦿　粗野　冷血　⦿優しい⦿ 素直　天邪鬼　冷静　人見知り　熱血　見栄っ張り　わがまま 世話好き　惚れっぽい　頑固　快楽的　犠牲的　傲慢　勤勉 寂しがり　⦿穏やか⦿　臆病　一途　盲目的
詳しい性格	穏やかだが胡散臭い雰囲気があるため、初対面の相手や子どもには警戒されやすい。 リュイという名前の足が曲がった黒猫を何よりも大切にしている。

長所	困った人には迷いなく手を差し伸べられる
短所	話し方がなんとなく胡散臭い
好きなもの	猫、自分のことを知らない（貴族として見ない）相手
嫌いなもの	実家も含む貴族全般
苦手なもの	人の多い場所（素性がバレる可能性があるため）
憧れ	身分制度のない世界
座右の銘	富める人のほうが時に貧しく孤独である

特別な過去	魔法学校出身で優れた魔法使いでもある。シモンとは同窓で友人
現在の悩み・葛藤	心無い人間によって傷つけられたリュイを治してあげたい
その他特記事項	実家の跡継ぎ問題が嫌で絶賛家出中

メインキャラクターたちの呼び方		
キャラクター名		呼び方
イノリ	→	イノリちゃん
シモン	→	シモン
	→	
	→	
	→	

サンプル

127

02 サンプル【ファンタジー】 世界設定シート

ベース	アメリカ	時代	中世
ファンタジック要素など特殊設定	魔法が存在する		

国（星）の設定			
国名	フェリス	首都	フェリシア
地形・地理	山脈と平原が多く自然が豊か		
人口・住んでいる種族	約5000万人・人間		
四季の有無・天候	有・台風が発生しやすい		
政治（王政、民主主義 etc.）	王政、国としては安定している		
交通手段	徒歩・馬車・飛行魔法		
信仰	なし（王族が神様のように慕われている）		
文化・国民性	異民族国家なので国民の価値観が幅広い		
秀でた技術・産業	ほとんどにおいて優れている（労働力が多いため）		
他国との関係	あまり良く思われていない（労働力となる国民がフェリスに流れるため）		
過去の大きな出来事	国境付近のとある街の住民が一夜にして消えた		
抱えている問題	貴族が魔法を独占している		
その他の特色	生活に逼迫した他国の民を積極的に受け入れている		

地域・町の設定			
地名	忘れられた塔	国のどこにあるか	南の国境付近
地形・地理	森の中に建っており、地図にも載っていない		
人口・住んでいる種族	2人・人間と野生動物		
四季の有無・天候	有・晴天が多い		
政治（誰が治めているか）	統治者はいない		
交通手段	徒歩・飛行魔法		
信仰	なし		
地域性	自給自足		
秀でた技術・産業	魔法技術		
他地域との関係			
他地域に存在を知られていない			
過去の大きな出来事			
かつてイノリが閉じ込められていた			
抱えている問題			
大きな水辺がない（魚が獲れない）			
その他の特色	イノリとシモンが2人で暮らしている		

サンプル

02 サンプル 場所一覧シート

場所の名前	忘れられた塔
説明	森の中にある地図にない建築物、イノリの住処

他の場所との位置関係・距離	
場所	**位置関係・距離**
ハスケルタウン	徒歩 3 日程度
オースシティ	徒歩 10 日程度
フェリシア	徒歩 15 日程度

場所の名前	オースシティ
説明	フェリシアの次に大きな街、さまざまな人種が暮らしている

他の場所との位置関係・距離	
場所	**位置関係・距離**
忘れられた塔	徒歩 10 日程度
ハスケルタウン	徒歩 7 日程度
フェリシア	徒歩 3 日程度

場所の名前	ハスケルタウン	
説明	忘れられた塔から最も近い小さな田舎町	
他の場所との位置関係・距離		
場所	位置関係・距離	
忘れられた塔	徒歩 3 日程度	
オースシティ	徒歩 7 日程度	
フェリシア	徒歩 12 日程度	

場所の名前	フェリシア	
説明	フェリス王国の首都、年に一度御前試合が開催される	
他の場所との位置関係・距離		
場所	位置関係・距離	
忘れられた塔	徒歩 15 日程度	
ハスケルタウン	徒歩 12 日程度	
オースシティ	徒歩 3 日程度	

サンプル

02 サンプル 時系列シート

現在／過去	西暦	月日	時間	関わるキャラクター
過去	エデーン暦 1509年	冬の月 62日	23時	女神
過去	エデーン暦 1509年	冬の月 63日	0時	女神
過去	エデーン暦 1521年	春の月 40日	7時	女神
過去	エデーン暦 1521年	春の月 40日	12時	イノリ
過去	エデーン暦 1522年	春の月 1日	10時	シモン
過去	エデーン暦 1522年	春の月 39日	8時	シモン、セドリック
過去	エデーン暦 1525年	夏の月 77日	20時	イノリ
過去	エデーン暦 1525年	秋の月 33日	11時	シモン
過去	エデーン暦 1526年	春の月 11日	9時	シモン
過去	エデーン暦 1526年	夏の月 19日	18時	イノリ、シモン
過去	エデーン暦 1527年	冬の月 5日	22時	セドリック
過去	エデーン暦 1527年	冬の月 7日	15時	セドリック、リュイ
現在	エデーン暦 1529年	春の月 55日	9時	イノリ、シモン
現在	エデーン暦 1529年	春の月 55日	20時	イノリ、シモン
現在	エデーン暦 1529年	春の月 58日	19時	イノリ、シモン
現在	エデーン暦 1529年	春の月 61日	11時	イノリ、シモン

何があったか	場所	シーン No.
幽閉されていた女神の魔力が暴発。 街の住民が全員動物に変わる。	国境付近の街	19
騒ぎに乗じて女神は逃げ出し、 近くの塔にて長い眠りに就く。	忘れられた塔	
忘れられた塔の中、 記憶を失って目覚める女神。	忘れられた塔	
外に出た女神、近くの集落で 「イノリ」として暮らし始める。	集落	
シモン、学費援助を申し出てくれた ノルドストレーム家の養子になる。	フェリシア	
シモン、魔法学校に入学。 セドリックと出会う。	魔法学校	
集落が山賊に襲われ、イノリの魔法で撃退。 しかし、恐れられ集落から追い出される。	集落	20
シモン、史上最年少で 国家魔法使いの試験に合格する。	フェリシア	
シモン、魔法学校を卒業し魔法を広める旅に出る。	フェリシア	
忘れられた塔に戻ったイノリ、 シモンと出会い、共に暮らし始める。	忘れられた塔	1
セドリック、実家の跡継ぎ問題に 嫌気がさし家出する。	フェリシア	
セドリック、貴族に虐待を受けていた リュイを救い飼う。	フェリシア	
イノリ、誤ってシモンに変身魔法をかける。	忘れられた塔 周辺の森	6
解呪法を求め旅に出る。	忘れられた塔	7
イノリとシモン、大道芸を始める。	街道	11
イノリが地方貴族と問題を起こす。	ハスケルタウン	14

サンプル

133

現在／過去	西暦	月日	時間	関わるキャラクター
現在	エデーン暦 1529年	春の月 62日	13時	イノリ、シモン、 セドリック
現在	エデーン暦 1529年	春の月 70日	21時	セドリック、リュイ
現在	エデーン暦 1529年	春の月 73日	14時	イノリ、シモン
現在	エデーン暦 1529年	春の月 77日	10時	イノリ、シモン、 セドリック
現在	エデーン暦 1529年	春の月 81日	12時	イノリ、シモン、 セドリック
現在	エデーン暦 1529年	春の月 81日	14時	イノリ、シモン
現在	エデーン暦 1529年	春の月 81日	14時	
現在	エデーン暦 1529年	春の月 81日	14時	イノリ、シモン
現在	エデーン暦 1529年	夏の月 1日	9時	イノリ、シモン

何があったか	場所	シーン No.
セドリックと再会する。	ハスケルタウン	17
セドリック、リュイを奪われ テロに加担させられる。	オースシティ	
シモンの実母と再会する。	フェリシア	34
イノリとセドリック、御前試合に出場する。	フェリシア	37
テロの勃発。	フェリシア	41
テロの鎮圧に貢献したイノリに 叡智の杖が下賜される。	フェリシア	45
魔法学校の無償化が決定する。	フェリシア	
シモンが元の姿に戻る。	フェリシア	46
イノリとシモンがフェリシアから旅立つ。	フェリシア	48

サンプル

02 サンプル 50 シーン分けシート

No.	場所	日時	何のシーン	主人公
1	忘れられた塔	3年前 昼	瀕死のイノリを 通りがかったシモンが助ける。	寒さと飢餓で 死にかけている。
2	忘れられた塔	1日目 朝	魔法の勉強をしているイノリだが、 不真面目な態度をシモンに 叱られる。	魔法を感覚的に使えるため勉強する意味が分からずにいる。
3	忘れられた塔 周辺の森	1日目 夕方	夕食の食材（野鳥）を魔法で 仕留めるイノリ。しかし威力が 強すぎてまたシモンに叱られる。	何をやっても 叱られてばかりで 鬱憤が溜まっている。
4	忘れられた塔	1日目 夜	シモンの不在時を狙い、 いたずらを仕掛けようと シモンの部屋に侵入するイノリ。	シモンの荷物から 見たことのない 魔導書を発見。
5	忘れられた塔 周辺の森	2日目 朝	魔法学校の入試に備え 実技訓練をするイノリ。	昨晩に見たシモンの 魔導書に載っていた 魔法を使う。
6	忘れられた塔 周辺の森	2日目 朝	シモンの姿がライオンに 変化する。	パニック状態。
7	忘れられた塔	2日目 夜	責任を感じたイノリは、解呪法 を探すため旅に出ることを決意。	森の外に出た経験は 少なく、かなり不安。
8	街道	3日目 朝	1人と1頭で 近くの町を目指す。	見たことのない景色 に興奮している。
9	街道	3日目 夜	野宿をする1人と1頭。	シモンの暖かな毛皮 に包まれ、爆睡。
10	街道	5日目 昼	持参した食糧が尽き、 後先考えず行商人から たくさん食べ物を買うイノリ。	空腹で判断能力が 鈍っている。
11	街道	5日目 夜	路銀が尽きたイノリ、 大道芸を思いつく。	シモンの制止を聞かず 勝手に宣伝。

サンプル

ヒロイン	友人	敵	その他
イノリを看病する。			
魔法を使うには知識も必要と考える。超スパルタ。			2人は忘れられた塔と周辺の森で暮らしている。
イノリが山火事を起こしかけたので鎮火に奔走。			シモンがイノリに厳しいのは、彼女が自身の力で身を滅ぼさないようにするため。
イノリがいたずらを仕掛ける前につまみ出す。			
イノリの潜在能力を測るため、なるべく強い魔法を使うよう指示。			イノリが魔法を使った瞬間、シモンの部屋から魔導書が飛来しイノリの体内に吸収される。
パニック状態。			ライオンになったことでシモンは一切魔法を使えなくなる。
放っておけないのでイノリについていく。			シモンの友人で優秀な魔法使いのセドリックに会いに行くことに。
能天気なイノリに呆れている。			
夜通し起きて周囲を警戒。			野犬が近くをうろついていたが、シモンが威嚇すると逃げていった。
イノリを必死で止めるが人前なのでしゃべれない。			イノリが世間知らずだと判断した行商人は相場より割高で売っていた。
ものすごく嫌がる。			獣を使ったショーを旅芸人がやるのは珍しいことだった。

No.	場所	日時	何のシーン	主人公
12	街道	7日目 昼	『非常に頭の良いライオン』 として人気を博すシモン。	想像以上に人気が 出たので調子に乗る。
13	ハスケルタウン	8日目 昼	大道芸の噂が町に広がっており、 人々からせがまれる。	安請け合い。
14	ハスケルタウン	8日目 昼	魔法で猫を無理やり 操っているのを見て イノリが貴族を蹴飛ばす。	身分に関する知識が 薄く、貴族に歯向かう 怖さを知らない。
15	ハスケルタウン	8日目 昼	貴族ばかりが好き勝手に 魔法を使う世の中に 異議を唱えるイノリ。	誰でも魔法を 使うべきと考える。
16	ハスケルタウン	9日目 昼	蹴った貴族に見つかり、 あわや裁判沙汰となる。	なぜ自分が 咎められるのか 分からない。
17	ハスケルタウン	9日目 昼	セドリックと出会う。	感謝する一方、 胡散臭いからあまり 関わりたくない。
18	街道	9日目 夕方	事情を話すイノリとシモン。	解呪法について セドリックに尋ねる。
19	街道	9日目 夕方	かつてフェリス王国で 起こった事件について セドリックから聞く。	熱心に話を聞く。
20	集落	4年前 夜	昔、暮らしていた集落で 強すぎる力を恐れられ 追い出されるイノリ。	山賊を退けるため 魔法を使ったが、 あわや殺しかけた。
21	忘れられた塔	4年前 夜	忘れられた塔の中、徐々に 「自分は1人でいるべき」と 考えるようになるイノリ。	自分は普通ではない と感じ始める。
22	街道	9日目 夜	不安がるイノリを シモンが元気づける。	自分はシモンの傍に いないほうがいいのか と感じていた。
23	街道	10日目 朝	セドリックから 御前試合の話を聞く。	参加の意志を固める。
24	オースシティ	16日目 昼	菜食気味だったシモンが 肉ばかり食べたがるようになる。	シモンの変化に 戸惑っている。

ヒロイン	友人	敵	その他
ショーが終わった後イノリに懇々と説教。			集まった子供たちが陰でシモンに無茶苦茶していた。
渋々付き合う。		群衆にまぎれイノリたちを観察。	たまたま見ていた貴族がケチをつける。
イノリを連れて急いで逃走。		貴族を制裁しようとしたが、イノリに先を越される。	蹴られた貴族はイノリに激怒。
権利を独占する魔法使いが多いことを嘆く。			魔法学校の学費が高いのは、高給でないと教員が集まらないため。
いざとなればイノリを連れて強行突破する覚悟。		揉めているのがイノリだと気付き助けに入る。	セドリックの身分が高かったため場を収めることができた。
目的の人物に会えて喜ぶ。		イノリが連れているライオンに違和感を持つ。	シモンは去ろうとするセドリックを必死に引き留める。
人前ではしゃべらないが、セドリックの前では普通にしゃべる。		知り得る魔法をすべて試すが、効果はなかった。	シモンが持っていたのは処分を任されていた禁書だった。
魔導書がイノリの中に消えたことに嫌な予感がしている。		住民は消えたのではなく動物に姿を変えられたと考えている。	過去、一夜で街の住民がすべて消失する事件が起きた。
			魔法は学んだ者しか使えないのが当たり前だった。
イノリは1人になったほうが危険と思っている。		友人のシモンに仲の良い女の子ができて嬉しい。	
イノリが参加することが少し不安。		叡智の杖を使えばシモンを元に戻せるのではと考える。	御前試合の優勝者には叡智の杖が下賜される。
自分の変化に戸惑っている。		シモンの嗜好がライオンに近づいていると気付く。	

No.	場所	日時	何のシーン	主人公
25	オースシティ	16日目 夕方	セドリックの追手（実家の使用人）が現れ、セドリックが逃亡する形で別れる。	
26	オースシティ	17日目 朝	魔法を学ぶイノリだが、上手くいかない。	元々勉強嫌いのため独学では成果が出ない。
27	オースシティ	20日目 夜	頼れるセドリックもいなくなり、シモンの変化に焦るイノリ。	焦って何も身に付かない悪循環に陥っている。
28	オースシティ	21日目 朝	魔法への恐怖心が強まり、イノリが魔法を使えなくなる。	焦りばかりが先行し熱を出して倒れる。
29	オースシティ	21日目 夜	魔法を使わず生きていく道をイノリに示すシモン。	自分の生き方について考える。
30	オースシティ	22日目 朝	魔法使いとして生きていきたいと思うイノリ。	魔法使いになればずっとシモンと一緒にいられると思った。
31	街道	22日目 朝	御前試合会場がある首都を目指し旅立つ。	
32	フェリシア	25日目 昼	露店でアクセサリーを見ているイノリ。	シモンの瞳と同じ色の宝石が使われたペンダントが気になる。
33	フェリシア	25日目 昼	イノリと同じペンダントを欲しがる女性と遭遇。	譲り合うもイノリが買うことに。
34	フェリシア	25日目 昼	シモンの実母と話すイノリ。	シモンの弟子と名乗る。
35	フェリシア	25日目 昼	イノリはシモンの実母に御前試合に来るよう誘う。	弟子である自分の勇姿を見せることで元気づけたかった。
36	フェリシア	26日目 朝	御前試合受付会場で因縁の貴族と再会する。	存在を忘れていたが声をかけられ思い出す。
37	フェリシア	29日目 朝	1試合目で因縁の貴族を瞬殺するイノリ。	思わぬダークホースの登場に注目を浴びる。

サンプル

ヒロイン	友人	敵	その他
		絶賛家出中のため使用人に追われている。	この後、セドリックは賊の襲撃を受ける。
睡眠時間が増え、イノリの勉強を見ない。		賊に襲われ、リュイを奪われる。	ライオンの睡眠時間は15時間ほど。
倒れたイノリを発見し四苦八苦しながら看病。			
魔法から遠ざけたほうがイノリにとっては幸せなのではと考える。			
本人の意思を尊重。			決意を新たにしたことで魔法が再び使えるように。
フェリシアでは超有名人。			フェリシアではシモンにまつわる雑貨が多く売られている。
女性を見てびっくり。	女性：出稼ぎに来ていたシモンの実母。		
自分の正体は明かさず聞き役に徹する。	シモン母：息子の活躍に喜びつつも心配。		
イノリの心遣いを感じ取る。	シモン母：喜び了承する。		
存在を忘れていたが声をかけられ思い出す。		イノリたちとは別日に受付を済ませる。	イノリに蹴られたことを未だ根に持っている。
弟子の活躍に得意げ。		イノリの魔法を観察している。	

No.	場所	日時	何のシーン	主人公
38	フェリシア	30日目昼	試合会場でセドリックと再会する。	元気に挨拶。
39	フェリシア	31日目	イノリとセドリックが順調に勝ち進む。	
40	フェリシア	33日目昼	イノリとセドリックの決勝戦。	セドリックの強さに圧倒される。
41	フェリシア	33日目昼	賊が乱入し、会場が混乱する。	観客を守るため試合を放棄。
42	フェリシア	33日目昼	あちこちで乱闘が勃発する。	観客を守る。
43	フェリシア	33日目昼	シモンがリュイを救出し、イノリとセドリックが協力し賊を掃討する。	セドリックと共に賊を掃討。
44	フェリシア	33日目昼	イノリの働きを評価した王から願いを叶えてもらえることに。	魔法学校を無償化し、誰でも魔法を学べる世になることを願った。
45	フェリシア	33日目昼	イノリの前に叡智の杖が現れ、鏡へと変化する。	鏡に映ったイノリは女神。
46	フェリシア	33日目昼	シモンとリュイが人間になる。	シモンが元に戻り大喜び。
47	フェリシア	34日目朝	叡智の鏡に映った姿が女神だったイノリはフェリシアで祀られるように。	まったく自覚がない。
48	フェリシア	39日目朝	惜しまれながらも、イノリとシモンはフェリシアを旅立つ。	魔法を広める旅に出る。
49				
50				

サンプル

ヒロイン	友人	敵	その他
目立つことを嫌うセドリックが参加することに違和感。		参加した理由は明かさない。	
			陰でイノリを陥れようという動きがあったが、シモンが未然に防ぐ。
セドリックの戦い方にますます違和感が強くなる。		時間を稼ぐような戦い方をする。	
試合場に乱入しリュイの行方を問う。		リュイが賊に奪われ賊に協力していると明かす。	
リュイの救出に向かう。		リュイを人質に取られやむなくイノリとシモンを妨害。	
リュイを救出。		イノリと共に賊を掃討。	
イノリの願いに満足している。		イノリの願いに驚いている。	
鏡に映ったシモンは聡明な少年。	鏡に映ったリュイは脚が美しい少女。	鏡に映ったセドリックは賢者。	叡智の鏡に映ると望む姿、あるいは真の姿が現れる。
元に戻れて大喜び。	リュイ：猫だったが人間になることを望んでいた。	リュイが少女になり喜ぶやら驚くやら。	
「もしかして本当に？」という思いもある。			
魔法を広める旅に出る。			

サンプル

コラム：まずは書き上げることが大事！

　50 シーン分けシートは執筆中に迷いや悩みが生まれないよう、あらかじめ書くシーンを決めておくためのものだ。しかし、実際書き始めてみると「会話文が書けない」「どんな描写を書けばいいのか分からない」「ストーリーを進めたいのに関係のないことばかり書いてしまい、進まない」などといった壁にぶつかってしまうことが多々ある。数日悩んでもどうしたらいいか打開策が見つけられず、そのまま書かなくなってしまうことも。作品を書き上げられず途中で挫折してしまう原因の多くはこれである。

　執筆に詰まる度に挫折したり何日も時間が過ぎたりするのはもったいない。そんな時はそのシーンはを一旦飛ばし、次のシーンを執筆しよう。

　飛ばすシーンは会話文だけ書いておく、描写を箇条書きで簡単に書いておくなど、その時書けることだけを残しておけばよい。とにかく書けるだけ書いていき、物語を最後まで書き切るのだ。

　すべて書き終わった後に飛ばしたシーンに改めて取り組もう。悩んでいた頃と違い、案外あっさり書けてしまうこともしばしば。そうでなくても先が見えなかった時よりも幾分書きやすくなっているだろう。

03 サンプル　プロットシート

STEP 1

まずは作品に入れ込みたい要素をいくつも書き出してみる。この時点ではあまり具体的に考えられなくても、なんとなく使ってみたい単語や登場させたいアイテムなどでも構わない。

日本神話	再生	後悔
輪廻転生	エリート	図書室
サスペンス	落ちこぼれ	呪い
転落	同級生	復讐

STEP 2

STEP.1で出したアイディアを、それぞれストーリーとキャラクター、世界観に分類してみる。また付け加えたい要素があれば、それも追加してみる。

ストーリー	日本神話 転落	輪廻転生 再生	サスペンス 呪い
キャラクター	エリート 後悔	落ちこぼれ 復讐	同級生
世界観	図書室		

STEP.2で分類したアイディアをもとに、簡単なストーリー・キャラクター・世界観を作る（箇条書きでもOK）。

ストーリー	前世の行いのせいで呪いをかけられた主人公とヒロインが、呪いを断ち切り結ばれるようになる話。
キャラクター	**主人公**：エリート会社員。かつて恋人だったヒロインを振った。ヒロインに命を狙われるようになる。 **ヒロイン**：小説家。敵役に陥れられ、主人公を殺害することで来世で結ばれると信じている。 **敵役**：主人公とヒロインを陥れ、互いに殺し合わせようとしている。
世界観	現代日本。神が存在するが、通常現世に干渉することはなく、人々もその存在を認識していない。

STEP 4　作品に入れ込みたい事件やエピソード、シーンを書き出す。時系列は気にしなくてよい。

サンプル

・主人公が、図書室で小説を書いていたヒロインに話しかける。

・ヒロインに触発されクリエイターに憧れる主人公。

・初めて持った夢を両親から猛反対され、部屋に閉じ込められる主人公。

・ヒロインと恋人になるも、キスしているところを両親に見られる。

・自殺しようとしていたヒロインの前に敵が現れ止める。

・ヒロインの著書を読んで泣く主人公。

・破局した場所で5年後再び出会う主人公とヒロイン。

・敵の猛攻から必死で逃げる主人公とヒロイン。

STEP 5　STEP.3・4を踏まえ、この作品で最も書きたいと思っていること、読者に作品を通して伝えたいこと（テーマ）を書こう。

この作品で最も書きたいこと（シーンやセリフなど）

体裁ばかりを気にしていた主人公がすべてをかなぐり捨ててヒロインに会いに行くシーン

読者に作品を通して伝えたいこと（テーマ）

過ちを悔い改めれば未来を変えることもできる

STEP 6 　読者対象、読者が共感できるポイント、作品の一番魅力的な部分を挙げていく。

読者対象	20代前半　男性
読者が共感できるポイント	両親の抑圧によって、ヒロインを手放さざるを得なくなった主人公の心境
この作品の一番魅力的な部分	誤解を解いた主人公とヒロインが協力して運命に立ち向かっていくところ

STEP 7 　STEP.3で組み上げたストーリーとキャラクター、世界観、STEP.4で挙げたエピソードやシーンをもとに、簡単な起承転結を作ってみる。

起	主人公、かつて恋人だったヒロインに命を狙われる。
承	振ったことを恨まれていると誤解した主人公はヒロインと話し合おうとするが、刺されて重傷を負う。
転	ヒロインの著書から、恨まれているわけではないと感じた主人公はヒロインの真意を聞き、敵役の存在を知る。
結	敵役を倒し、2人は再び恋人となる。

STEP.7 で作った起承転結をもとに、さらに細かいストーリーを考えて、プロットを完成させる。タイトルもつけよう。

タイトル	螺旋のエレジー
ストーリー	現代日本。厳格な両親の元で育った高校生の進藤勇夜は、親友の清水渚から告白され、彼女の恋人となる。しかし、劣悪な家庭環境の渚が息子の恋人になることに体裁の悪さを感じた両親によって2人は引き裂かれ、勇夜に残ったのは渚が自殺したという噂だけだった。 　5年後。会社員になった勇夜は帰宅途中ナイフを持った渚に襲われる。渚が生きていたことに喜ぶ暇もなく、命からがら逃げた勇夜は、かつて彼女を捨てたことで恨まれていると思い、話し合うため再び会う。しかし渚が勇夜を殺そうとする理由は恨みではなく、彼女の真意が分からないまま勇夜は刺されて重傷を負い、生死の淵をさまよう。 　なんとか回復した勇夜だが、渚との和解は無理かもしれないと諦めかけていた。そんな時、小説家になっていた渚の処女作を読み、その作品が高校時代に2人で作った物語を基にしたものであり、なおかつ自分に宛てた恋文だと気付く。次こそ真意を知ろうと渚に会いに行った勇夜は、渚から5年前に破局したのは呪いのせいであり、2人が結ばれるためには生まれ変わらなければならないと信じていることを知る。渚にそれを吹き込んだのは奈海という神を名乗る少女だった。奈海は前世の勇夜・渚によって裏切られたことを恨み、呪いの話を吹き込み2人を殺し合わせようとしていた。 　すべてを捨てて自分を選んでくれた勇夜の気持ちに応えるため、渚は奈海の説得を試みるが、復讐に囚われた奈海は渚が言うことを聞かなくなったことに怒り、2人を殺そうと街中で暴れまわる。人気のない場所まで逃げ、立ち向かう2人だが為すすべなく、渚が命を落とす。神の力を悪用し人間の命を奪った奈海は制裁され、勇夜の命を脅かす者はいなくなったが、勇夜は渚のいない世界で生きていくことに絶望する。勇夜を哀れんだ神は渚を生き返らせるが、彼女は生前の記憶をすべて失っていた。勇夜は破壊された街の修復を手伝いながら、今度こそ恋人として渚を守ると誓う。

キャラクターシート

03-1 サンプル【主人公】

名前	進藤勇夜（しんどういざや）	年齢・性別	22 歳・男
国籍・種族	日本・人間 （伊邪那岐の転生体）	身分	会社員
誕生日	2 月 10 日	一人称	俺
家族構成	なし（両親は 2 年前に事故で他界）		

外見の特徴

身長	179cm	体重・体型	70kg・やや筋肉質
髪型	黒の短髪、前髪は後ろに流している		
服装	スーツでいることが多く、私服も黒や白などシックな色が多い		

その他の特徴（肌色、傷痕など）

両親の教育方針によってさまざまなスポーツ経験があるため
均整の取れた体つきをしている。
顔立ちも爽やかでイケメンの部類に入る

内面の特徴

おおまかな性格 （当てはまるものを囲む）	明るい　内気　積極的　消極的　慎重　粗野　冷血　優しい 素直　天邪鬼　冷静　人見知り　熱血　見栄っ張り　わがまま 世話好き　惚れっぽい　頑固　快楽的　犠牲的　傲慢　勤勉 寂しがり　穏やか　臆病　一途　盲目的
詳しい性格	人当たりは良いが、優秀であれと両親に洗脳じみた教育を受けた 影響で自分より劣る相手を見下しがち。 両親の束縛から逃れたい反面、自由になることに恐怖心もある。

150

長所	（表向きは）非の打ちどころのないエリート
短所	本心を他人に見せず、誰にでも壁を作る
好きなもの	褒められること、営業成績などで一番になること
嫌いなもの	自分より優秀な人
苦手なもの	両親、人付き合い
憧れ	なし（自分が憧れられる存在でありたい）
座右の銘	来るもの拒まず去るもの追わず

サンプル

特別な過去	両親の命令に逆らえず恋人だった渚を振った
現在の悩み・葛藤	破局後に渚が自殺した噂を聞いて罪悪感を持っている
その他特記事項	自分が伊邪那岐の転生体である自覚はない

メインキャラクターたちの呼び方		
キャラクター名		呼び方
清水渚	→	渚
奈海	→	奈海
	→	
	→	
	→	

151

03-2 サンプル【ヒロイン】 キャラクターシート

名前	清水渚（しみずなぎさ）	年齢・性別	22 歳・女
国籍・種族	日本・人間 （伊邪那岐の転生体）	身分	小説家
誕生日	5月2日	一人称	わたし
家族構成	母		

外見の特徴

身長	159cm	体重・体型	45kg・痩せ型
髪型	黒髪ショートカット、前髪が長い		
服装	地味でフードのついた服を好んで着ている		

その他の特徴（肌色、傷痕など）

表情や服装のせいで地味に見えるが顔立ちは中性的でかなり整っている。
普段は眼鏡をかけている

内面の特徴

おおまかな性格 （当てはまるものを囲む）	明るい　内気　積極的　消極的　慎重　粗野　冷血　(優しい) 素直　天邪鬼　冷静　(人見知り)　熱血　見栄っ張り　わがまま 世話好き　惚れっぽい　頑固　快楽的　犠牲的　傲慢　勤勉 寂しがり　穏やか　臆病　(一途)　盲目的
詳しい性格	引っ込み思案だが芯が強い部分があり、目標に向かってひたむきに努力することができる。 大好きだった父が自分を捨てて出て行ってしまった過去があり、親しい相手を繋ぎ止めようとするあまり自己犠牲的な言動を取りがち。

長所	他人の痛みに敏感で気遣い上手
短所	本音をすぐに隠してしまう
好きなもの	物語の構想を練ること、小説を書くこと
嫌いなもの	孤独
苦手なもの	注目を浴びること
憧れ	勇夜
座右の銘	最も永く続く愛は、報われぬ愛である

特別な過去	勇夜に告白し、恋人になったが振られた
現在の悩み・葛藤	奈海に従うことが本当に正しいのか分からずにいる
その他特記事項	自分が伊邪那岐の転生体である自覚はない

メインキャラクターたちの呼び方		
キャラクター名		呼び方
進藤勇夜	→	勇夜
奈海	→	奈海
	→	
	→	
	→	

サンプル

153

03-3 サンプル【敵】 キャラクターシート

名前	奈海（なみ）		年齢・性別	不明・女
国籍・種族	不明・神族 （伊邪那美の転生体）	身分	邪神	
誕生日	６月６日	一人称	私	
家族構成	なし			

外見の特徴

身長	152cm	体重・体型	42kg・華奢
髪型	黒いロングヘアのハーフアップ		
服装	白いワンピースの上から薄ピンクのボレロを羽織っている		

その他の特徴（肌色、傷痕など）

見た目は14歳くらいの美少女。
前世で切られた足を縫合しているため大腿に縫合痕があり、歩行障害があるため杖をついている

内面の特徴

おおまかな性格 （当てはまるものを囲む）	明るい　内気　積極的　消極的　慎重　粗野　冷血　優しい 素直　天邪鬼　冷静　人見知り　熱血　見栄っ張り　わがまま 世話好き　惚れっぽい　頑固　快楽的　犠牲的　傲慢　勤勉 寂しがり　穏やか　臆病　一途　盲目的
詳しい性格	自分に絶対的な自信があり他人の意見はことごとく論破してしまう。 甘言で惑わせ他人を意のままに操ることを得意とする。 復讐に囚われるあまり周りが見えなくなっている。

長所	言葉に説得力があり、カリスマ性がある
短所	他人の意見に耳を貸さない
好きなもの	復讐方法を考えている時間
嫌いなもの	計画が失敗すること
苦手なもの	前世の記憶（憎しみや痛みを伴う記憶が多いため）
憧れ	人同士の絆（表面上は馬鹿にしている）
座右の銘	断じて行えば鬼神も之を避く

サンプル

特別な過去	前世の断片的な記憶を持ち勇夜と渚を憎んでいる
現在の悩み・葛藤	渚の行動力がないせいで思い通りに事が進まない
その他特記事項	勇夜と渚を仲違いさせ殺し合わせようと画策している

メインキャラクターたちの呼び方		
キャラクター名		呼び方
進藤勇夜	→	進藤勇夜
清水渚	→	渚
	→	
	→	
	→	

03 サンプル【ファンタジー】 世界設定シート

ベース	日本	時代	現代
ファンタジック要素など特殊設定	神が存在する		

国（星）の設定			
国名	日本	首都	東京
地形・地理	東アジアにある島国		
人口・住んでいる種族	約1億2500万人・人間		
四季の有無・天候	有・比較的温暖で過ごしやすい		
政治（王政、民主主義 etc.）	民主主義		
交通手段	徒歩、二輪車、四輪車、電車、新幹線、飛行機 etc.		
信仰	主には神道と仏教		
文化・国民性	日本食や日本文学が有名・温厚でシャイな人が多い		
秀でた技術・産業	近年ではポップカルチャーが注目を集めている		
他国との関係	一部を除き比較的良好		
過去の大きな出来事	世界大戦 etc.		
抱えている問題	貧困、少子化 etc.		
その他の特色			

地域・町の設定		
地名	秀苑学園	国のどこにあるか　埼玉県（架空の地域）
地形・地理	ほぼ円型	
人口・住んでいる種族	在籍生徒数は約 300 人・人間	
四季の有無・天候	有・比較的温暖で過ごしやすい	
政治（誰が治めているか）	校長・理事長	
交通手段	徒歩、二輪車、電車	
信仰	なし	
地域性	進学校のため勉強熱心な学生が多い	
秀でた技術・産業	学力	
他地域との関係		
あまり関わることがない		
過去の大きな出来事		
総理大臣を輩出したことがある		
抱えている問題		
勉強によるストレスから非行に走る学生がいる		
その他の特色	学費は安いが、交通の便があまり良くない	

サンプル

03 サンプル 場所一覧シート

場所の名前	新宿	
説明	勇夜が働く大手広告会社がある。	
他の場所との位置関係・距離		
場所	位置関係・距離	
大崎	快速電車で約 10 分	
浦和	快速電車で約 20 分	
秀苑学園	電車、徒歩で約 1 時間 20 分	

場所の名前	浦和	
説明	渚の自宅兼職場がある。	
他の場所との位置関係・距離		
場所	位置関係・距離	
新宿	快速電車で約 20 分	
大崎	快速電車で約 30 分	
秀苑学園	電車、徒歩、バスで約 2 時間	

場所の名前	大崎
説明	勇夜の自宅がある。

他の場所との位置関係・距離	
場所	位置関係・距離
新宿	快速電車で約 10 分
浦和	快速電車で約 30 分
秀苑学園	電車、徒歩、バスで約 2 時間

サンプル

場所の名前	秀苑学園
説明	勇夜と渚がかつて通っていた進学校。

他の場所との位置関係・距離	
場所	位置関係・距離
新宿	電車、徒歩で約 1 時間 20 分
大崎	電車、徒歩、バスで約 2 時間
浦和	電車、徒歩、バスで約 2 時間

03 サンプル 時系列シート

現在／過去	西暦	月日	時間	関わるキャラクター
過去	不明	不明	不明	伊邪那岐、伊邪那美
過去				奈海（前世）
過去	1999年	7月22日	21時	勇夜（前世）、渚（前世）
過去	2015年	12月28日	19時	渚
過去	2016年	5月11日	17時	勇夜、渚
過去	2016年	6月1日	17時	勇夜、渚
過去	2016年	7月20日	18時	勇夜、渚
過去	2016年	12月20日	19時	勇夜、渚
過去	2016年	12月23日	20時	勇夜、渚
過去	2017年	3月1日	23時	渚、奈海
過去	2017年	3月11日	9時	勇夜、渚
過去	2020年	8月8日	20時	勇夜
過去	2021年	4月21日	12時	勇夜
過去	2021年	6月18日	10時	渚
現在	2022年	5月29日	9時	勇夜
現在	2022年	5月29日	20時	勇夜、渚

サンプル

何があったか	場所	シーン No.
伊邪那岐、黄泉の国で追いかけてきた伊邪那美の足を切り落とし、逃げ切る。	黄泉	33
伊邪那岐への憎悪を持った伊邪那美が転生、伊邪那岐への復讐を繰り返す。		
勇夜（前世）が渚（前世）を殺害後、自殺。	路地裏	1
渚の両親が離婚、父が家を出ていく。	渚自宅	
勇夜、図書室で小説を書いている渚を見かけ、話すようになる。	図書室	18
放課後の図書室で一緒に物語の構想を練る。	図書室	19
渚、勇夜に告白し、恋人になる。	図書室	
キスしていたところを勇夜の両親に見られる。	公園	7
勇夜の両親によって2人は破局に追い込まれる。	教室	7
渚の自殺を奈海が止める。	山道	
不登校になった渚が自殺したという噂が流れる。	教室	
勇夜の両親が事故で他界する。	斎場	25
就職活動に奔走する勇夜。	勇夜自宅	26
小説家としてデビューし、勇夜との構想を元にして作った作品を処女作として発表。		
入社した会社で営業成績トップを取る。	勇夜職場	3
勇夜、渚に襲撃される。	歩道	4

現在 / 過去	西暦	月 日	時 間	関わるキャラクター
現在	2022年	5月31日	22時	勇夜、渚、奈海
現在	2022年	6月1日	0時	渚、奈海
現在	2022年	11月12日	10時	勇夜
現在	2022年	12月19日	17時	勇夜
現在	2022年	12月19日	21時	勇夜、渚
現在	2022年	12月20日	17時	勇夜、渚、奈海
現在	2022年	12月21日	1時	勇夜、渚、奈海、帝

何があったか	場所	シーン No.
勇夜、渚に刺され重傷を負う。	路上	12
金銭の要求に来た渚の母の恋人を、奈海が殺害する。	渚自宅	14
勇夜が退院する。	病院	
勇夜が辞表を提出する。	勇夜職場	28
勇夜と渚が和解する。	公園	31
奈海が暴走する。	街	36
奈海の暴走を止める。	山道	41

サンプル

50 シーン分けシート

No.	場所	日時	何のシーン	主人公
1	路地裏	23年前夜	勇夜（前世）が渚（前世）を絞殺後、自殺する。	
2	勇夜自宅	1日目朝	勇夜、誰かを殺す悪夢にうなされ起床。	しょっちゅう見る悪夢に悩まされている。
3	勇夜職場	1日目朝	職場で営業成績トップを褒められる勇夜。	非常に優秀で人気だが渚への未練を抱えている。
4	歩道	1日目夜	勇夜、帰宅途中にナイフを持った渚に襲われる。	死んだと思っていた渚が生きていたことを喜ぶ余裕もない。
5	勇夜自宅	1日目夜	家に逃げ帰るも、鞄を失くしたことに気付く。	襲撃者が渚であるため、通報しようとしてやめる。
6	交番	2日目朝	貴重品回収のため交番を訪れる勇夜。	財布から免許証がなくなっていることに気付く。
7	公園	5年前夕方	当時恋人だった渚とキスしていた場面を親に見られ、仲を引き裂かれる。	両親からの圧力に屈し渚に別れを告げる。
8	交番	2日目朝	勇夜、恩師から現在の渚について情報を得る。	渚の真意を知るため襲われた事実を隠している。
9	勇夜自宅	2日目夜	自宅に侵入された形跡を発見する。	自宅が危険と判断、ビジネスホテルに移動。
10	居酒屋	3日目夜	大口の契約を取ったお祝いに先輩と飲みに行く勇夜。	本当は早く休みたいが断り切れず。
11	路上	3日目夜	酔い潰れた先輩を介抱する勇夜、渚に襲われる。	先輩を巻き込まないよう逃げつつ対話を試みる。

ヒロイン	友人	敵	その他
		2人が殺し合うよう陰で操る。	
	先輩：優秀な後輩を労う一方、妬ましい気持ちもある。		
動機は明らかにしないまま、勇夜への殺意を向ける。			
勇夜が落とした鞄から免許証を奪う。			
	恩師：偶然勇夜の鞄を交番に届けた。		勇夜と恩師は交番で再会し、渚の話をする。
勇夜に別れを告げられショックで不登校になる。	勇夜両親：渚の素性を調べ息子の相手に相応しくないと判断。		破局後、渚が自殺した噂が流れる。
	恩師：渚が少女と暮らしていると話す。		
奪った免許証から勇夜の自宅を割り出す。			
勇夜が1人になる機会を窺っている。	先輩：理由をつけて飲みたいだけ。	渚と共に行動。	
逃げる勇夜を追う。	先輩：酔っていて何が起きているかよく分かっていない。	渚に指示を出しつつサポート。	渚は先輩を巻き込むことを嫌がったが、奈海の指示で渋々動く。

No.	場所	日時	何のシーン	主人公
12	路上	3日目 夜	渚に刺され意識を失う勇夜。	怨恨以外で殺意を向けられる理由が分からず動揺。
13	渚自宅	4日目 夜	悪夢にうなされる渚。	
14	渚自宅	4日目 夜	金をせびりに来た渚の母の恋人を奈海が事故に見せかけ殺害する。	
15	渚自宅	4日目 夜	男の死体を見て怯える渚を抱きしめる奈海。	
16	病院	6日目 昼	病室で目覚める勇夜。	重傷だったが、命に別状はなかった。
17	病院	7日目 夕方	勇夜、先輩の置いていった小説を読む。	すぐに渚の作品だと気付く。
18	図書室	6年前 夕方	小説を書いていた渚に、勇夜が話しかける。	娯楽小説が両親に禁止されていたため、渚の小説に興味津々。
19	図書室	6年前 夕方	放課後に図書室で待ち合わせ、2人で物語の構想を練る。	最も楽しい時間。
20	病院	10日目 昼	リハビリ中の勇夜を、同級生の帝が訪ねてくる。	5年ぶりの再会に驚く。
21	病院	10日目 昼	帝から輪廻転生の話を聞く勇夜。	伊邪那岐の転生体と聞かされるが、信じられない。
22	病院	10日目 昼	勇夜、渚の真意を知るため再び会いに行くことを決意。	伝手を使い渚の足跡をたどりながらリハビリに励む。
23	勇夜職場	190日目 朝	半年ぶりに職場復帰した勇夜、腫れもの扱いを受ける。	半年で自分の居場所が消えたと気付く。
24	勇夜職場	193日目 朝	勇夜に辞令が出され、リストラ予備軍の部署に異動となる。	親の敷いたレールに沿って歩んだ人生の無意味さを痛感。

ヒロイン	友人	敵	その他
殺害動機は怨恨ではないと明かす。	先輩：混乱しながらも救急車を呼ぶ。	渋々渚と共に撤退。	野次馬が集まってきたため、渚はとどめを刺す前に撤退。
勇夜を中途半端に苦しめる結果になり後悔。		勇夜を殺せなかった渚を責める。	奈海は渚の手で勇夜を殺させることに固執している。
奈海の指示を実行できず、窮地に陥る。	渚の母の恋人：金銭の要求に応じない渚に逆上。	練習として男を殺すよう渚に指示するも失敗。	渚は人を殺せる知識はあるが、覚悟が伴っていない。
かつて救ってくれた奈海に精神的に依存している。		甘言で渚を支配。	
	先輩：勇夜の見舞いに来る。		
			小説は渚の処女作。
勇夜が馬鹿にしてこなかったので、少しずつ心を開く。			2人とも家庭環境に問題があり、家に帰りづらいと感じていた。
最も楽しい時間。			互いを特別視し、やがて恋人になる。
	帝：奈海と同じく伊邪那美の転生体。		帝は奈海の目的を知り勇夜と渚を守ろうとしている。
	帝：奈海が渚を利用し復讐を目論んでいると話す。		帝は転生体としての力が弱いため物理的に奈海を排除できない。
	帝：奈海に命を狙われやむなく逃亡。	勇夜だけではなく帝も始末しようと計画。	勇夜が怨恨で襲われたという噂が職場に広まっていた。
	先輩：勇夜に対してよそよそしい。		

サンプル

No.	場所	日時	何のシーン	主人公
25	斎場	2年前 夜	事故死した両親の遺影を眺める勇夜。	悲しいと感じることができず戸惑う。
26	勇夜自宅	2年前 昼	両親が亡くなった後も、その呪縛から逃れられず大企業に就職しようとする勇夜。	頑張りすぎて体調を崩すことも多かったが、誰も頼れなかった。
27	勇夜職場	194日目 朝	給料泥棒と罵られても辞めることができないと嘆く同僚たちと話す勇夜。	今後の人生について考える。
28	勇夜職場	195日目 夕方	勇夜、辞表を提出。	両親の呪縛から逃れるための一歩。
29	公園	195日目 夜	渚との思い出がある地を巡る。	帝から聞いた話をぼんやり思い出す。
30	公園	195日目 夜	勇夜と渚が対峙。	呪いの正体は両親の支配だったと気付く。
31	公園	195日目 夜	互いの考えについて話し合い、和解する。	呪いの話は奈海の法螺話だったと見抜く。
32	渚自宅	195日目 夜	帝から得た情報を共有する。	奈海と共にいることが危険だと渚に忠告。
33	黄泉	不明	化け物の姿をした伊邪那美に追われた伊邪那岐、伊邪那美の足を切って逃げ切る。	伊邪那岐として状況を見ている。
34	渚自宅	196日目 朝	同じ前世の記憶を見た勇夜と渚、奈海の復讐心を理解する。	帝の力を借りたい。
35	勇夜職場	196日目 昼	特に必要のない仕事をしつつ、帝を捜す勇夜。	帝の行きそうな場所をリストアップ。
36	街	196日目 夕方	自動車の不自然な玉突き事故が発生。	退勤間際に騒ぎを聞きつける。
37	街	196日目 夜	勇夜と渚、共に逃亡する。	無関係の人を巻き込まないよう、山へ逃げる。

ヒロイン	友人	敵	その他
	親族：両親を亡くしても悲しまない勇夜を気味悪く感じる。		
	親族：勇夜が成人していたため関係を絶ってしまう。		
勇夜の姿を見かけ、こっそり尾行。			
呪いについて話す。			渚は勇夜と結ばれないのは自分たちにかけられた呪いのせいだと信じている。
奈海を疑いたくない以上に、勇夜を殺したくない。			
奈海の真意を知ろうとする。			
伊邪那岐として状況を見ている。		愛していた伊邪那岐に裏切られた憎しみを持って転生。	勇夜と渚は元々ひとつの存在だった。
自分たちだけで奈海を説得したい。			意見が分かれたため、一旦別行動を取ることに。
奈海の説得に向かう。			帝は神出鬼没のため、こちらから連絡を取ることがほぼできない。
奈海の説得に失敗し、命を狙われる。		思い通りに動かなくなった渚を用済みと判断、命を狙う。	奈海は周囲の無機物を操る能力を持つ。
無関係の人を巻き込まないよう、山へ逃げる。		憎悪で我を失い街中で暴走。	

No.	場所	日時	何のシーン	主人公
38	山道	196日目 夜	奈海の攻撃を掻い潜りながら 止める方法を相談。	実力行使も やむなしと考える。
39	山道	196日目 夜	協力して奈海の暴走を 阻止するため動く。	囮となって 奈海の注意を引く。
40	山道	196日目 夜	奈海の拘束に成功するも、 反撃され形勢が逆転する。	渚を助けようとするが 奈海に阻まれ 窮地に陥る。
41	山道	196日目 夜	追いついた帝によって 奈海が粛清される。	重傷を負うが 一命を取りとめる。
42	山道	196日目 夜	半身の奈海を失った帝、 神の力を勇夜に託して消滅する。	神の力を得て、 渚を蘇生させる。
43	街	197日目 朝	渚と共に帰還。	渚に状況を 説明しつつ 意識朦朧。
44	街	220日目 朝	街の復興を手伝いながら、 勇夜と渚は協力して生きていく。	今度こそ 渚を生涯守ると誓う。
45				
46				
47				
48				
49				
50				

ヒロイン	友人	敵	その他
なるべく穏便に済ませたい。		2人を追って山に入る。	奈海の肉体構造は普通の少女と同じ。
背後から近づき奈海を拘束。		取り付く島もない暴走状態。	
反撃に遭い崖下に転落。		同情を誘い反撃。	
転落して即死。	帝：神の力を奪われ無力化した奈海を粛清。	禁忌を破ったことで神の力を奪われる。	神の力で人間を殺すのは禁忌だった。
蘇生するも、すべての記憶を失う。	帝：1人生き残った勇夜を哀れみ、情けをかける。		
自分が何者なのかすら分からず困惑する。			
勇夜のことは覚えていないが、漠然とした安心感を抱く。			

サンプル

アイディアワード

ストーリー・シチュエーション

転校	非情な判断	他人に利用される	多対多
席替え	仕事か愛かの選択	再会	多対一
入学	上司の命令	罰を受ける	格上に挑む
卒業	分野の違うプロとの交流	許す	自問自答
喧嘩	命令違反	事件に首を突っ込む	脱出
目標	利害の一致	道中のトラブル	崇める・崇められる
怪我	情報戦	船旅	忘れる
出会い	他人に理解されない	旅行	迷宮入り
別れ	突飛な打開策	さらわれる	密室に2人きり
道連れ	優秀すぎて目をつけられる	天から堕ちる	導く
逃亡	仕事を辞める	恐れられる	諦める
群像劇	バッドエンド	正体を明かす	一目惚れ
試練	少しずつ近づいてくる	身分を隠す	無茶をする
自業自得	単独行動	世の実情を知る	庇う
理想と現実	真相に迫る	怪物を退治する	改心する
街に迫る危機	犯人探し	そそのかされる	追いかける
組織に狙われる	疑心暗鬼	祖先を越える	集める
人知れず戦う	拷問	追われる	誰かと出掛ける
敵との共闘	気が狂う	迫害される	一緒に遊ぶ
バトルロイヤル	帰路	理解者を得る	約束
覚悟を決める	裏切り	だまされる	三角関係
敗走	油断する	追放される	ハーレム
絆	希望を打ち砕かれる	陥落	逆ハーレム
計算 vs 根性	自分が化け物になる	暗殺	運命
巻き込まれる	生き残る	見せしめ	恋の障害
勘違い	復讐	補給	新人教育
すれ違い	再挑戦	撤退	子どもの頃の夢
初恋	冤罪	敵と分かり合う	主人公の目的
失恋	過ちを犯す	世界の危機	探し物
修羅場	後悔する	暗躍	没落
デート	新たな絆を得る	別離	謀略
ダブルブッキング	過ちを繰り返す	作戦会議	革命
告白	失ったものを取り戻す	就職活動	大義名分
1人を選ぶ	昔か今か選ぶ	籠城戦	存続が危ぶまれる
身分違いの恋	誰かを救う	自刃	暴く
ヤキモチ	負の力に誘惑される	一騎打ち	先人の教えに学ぶ
恋を自覚する	奪う	一対多	監督する

Point! プロットシートの STEP.1 で使えるワードを集めた。物語が思いつかない時、要素が足りない時などに利用してほしい。

助けられる	手を繋ぐ	後を託される	左遷
変身する	友情	仲間になる	街主催のイベント
最悪の第一印象	恋	情が移る	のし上がる
連携プレー	目的を見失う	転職する	契約する
探検する	関係の再構築	搭乗する	パーティに参加する
転生する	友を失う	働く	両片思い
写真を撮る	解散危機	滅ぶ	ジャックする

世界設定

部活動	廃墟	巨大な建造物	電力がない
都会	見知らぬ土地	輪廻転生	隠された土地
田舎	屋敷	市井	召喚術
夏休み	祭り	階級社会	霧に包まれている
スクールカースト	風習	通貨	人工島
秘密の場所	パンデミック	交易	モラトリアム
学園祭	違和感	浮遊島	同棲
学生寮	巨大学園	地下	専門技術
努力	伝統行事	密林	海外との交渉
サークル	日常のずれ	海底	情勢の変化
不思議な力がある	都市伝説	宇宙	超少子化
科学技術	タイムリープ	コンピュータネットワーク	実験
呪い	故郷	パラレルワールド	怨念
願いを叶えるアイテム	馬車	ワープ航法	転移装置
おかしな校則	鉄道	バイオテクノロジー	ダンジョン
開かずの間	異文化	オーパーツ	視察
学校行事	使命	ナノテクノロジー	見聞の旅
アパート	聖地巡礼	ディストピア	神話の世界
新しい法律	よそ者に冷たい土地	条約	砂漠の国
迷路	山間の村	遺産	スラム
ゲーム	森の集落	部隊	反乱軍
異国の地	港町	エンターテインメント	新兵器
廃校	城郭都市	金融業界	和睦
技術革新	魔法国家	○○が禁止されている	同盟
陰謀	古代の遺跡	裏事情	宗教戦争
化け物がいる	機械文明	夢	神託
寄生	巨大ロボット	自然災害	裏社会
大会	魔界	メタフィクション	死後の世界
未開拓地	世紀末	歴史	不自由がある世界
縄張り	人種差別がある	ポータル	空から○○が降る

キャラクター

家族との不和	ツンデレ	お人好し	臆病
劣等感	天然	食通	老人
秘密	真面目	義侠心	偽物
学生	ライバル	風来坊	猫被り
不良	同性愛	トレジャーハンター	○○部員
先輩後輩	近親愛	自分は何者か	信念を持っている
憧れの人	婚約者	倒すべき巨悪	アイテムの保有者
変わり者	幼馴染	地元の案内人	スポーツ関係者
仲間	価値観の違い	救世主	大食い
恩師	協力者	王子	相棒
女装・男装	エリート主人公	神の血族	趣味人
おバカキャラ	へっぽこキャラ	英雄の子孫	隠居
欲望に素直な人	理屈が通じない相手	希少な種族の生き残り	過去の栄光にすがる
闖入者	狡猾な敵	奴隷	苦労人
よく事件を起こす人物	落ちこぼれ	傲慢さ	野望を抱く
妖怪	組織の一員	従者	長官
辺境から来た民族	仕事人間	切れ者	人工知能
宇宙人	鉄の心	流れの者	中二病
専門家	無邪気な子ども	支配者	騎士
世間知らず	社会人	軍師	努力家
非常識人	スパイ	捕虜	夢想家
権力者	盗賊	魔王	鈍感
神様	刑事	貴族	アドバイザー
新人	幽霊	異種族	芸能人
天才	狂人	密偵	ロボット
悪魔	裏世界の住人	英雄	情報通
未熟な少年	姿の見えない敵	罪人	音楽家
異能力者	仇	信用がない	没落貴族
魔法使い	かつての自分	宗教家	金貸し
賢者	昔の知人	商人	仲介人
師匠	遊び人	貧困層	現実主義者
戦うヒロイン	ダークヒーロー	○○に弱い	サーカス団
特別な能力	過去に囚われる	表の顔と裏の顔がある	笑い上戸
守るべきもの	記憶喪失	賞金首	芸者
転入生	過去から目を逸らす	タイムトラベラー	頑固者
ヒーロー	姿が変わる	姫	狩人
超人	成り上がる	最強	年齢詐称
時代遅れ	旅人	一般人	俳優
優柔不断	交渉人	二番手	旧知の仲
お笑い芸人	宰相	運転手	プロデューサー
船乗り	不器用	前科持ち	ディフェンディング
痛みを感じない	検索魔	動物と会話できる	チャンピオン
お調子者	御供	向こう見ず	

おわりに

　ここまでテンプレートとそれを実際に使ったサンプルを紹介した。いかがだっただろうか？　ぜひ皆さんにも実作で活用してほしい。

　そこで、より使いやすいようにテンプレートのファイルをダウンロードできるようにした。ファイルに直接打ってもいいし、印刷して書き込むのもアリだ。また、テンプレートも自分が使いやすいようにいじっていただいて構わない。

　以下の手順でダウンロードしよう。

テンプレートのダウンロード方法

◆本書に掲載しているテンプレートのデータは、DB ジャパンのホームページよりダウンロードしていただけます。パソコンなどで以下のアドレスへアクセスし、PDF ファイルをダウンロードしてください。印刷データは、A4 サイズ対応の家庭用プリンターでプリントアウトできます。また、PDF データはアドビシステムズ（https://www.adobe.com/jp/）のホームページで無償提供されている Adobe Acrobat Reader DC をパソコンにインストールすることで、表示・印刷などが可能になります。

QRコードでの
アクセスはこちら

ダウンロードアドレス

https://es-books.jp/592/
パスワード：gift3620

◆テンプレートを使用する際の注意◆

・テンプレートの著作権は、榎本秋・鳥居彩音・榎本事務所に帰属します。ご自分で調整されたテンプレートは個人的な利用に留め、インターネットでの公開・第三者への再配布などはご遠慮ください。

・紙面のサンプルをそのまま使った作品の新人賞やオンライン投稿サイトへの投稿はお止めください。ご自分なりにアレンジを加えたものでしたら構いません。

これ1冊でできる！
テンプレート式エンタメ小説のつくり方

2023年5月15日　第1刷発行

編著者	榎本秋
著者	鳥居彩音・榎本事務所
発行者	道家佳織
編集・発行	株式会社DBジャパン
	〒151-0073 東京都渋谷区笹塚1-52-6　千葉ビル1001号室
電話	03-6304-2431
ファックス	03-6369-3686
e-mail	books@db-japan.co.jp
装丁・DTP	菅沼由香里（榎本事務所）
印刷・製本	大日本法令印刷株式会社
執筆協力	橋本愛理（榎本事務所）